FOLIO

Boileau-Narcejac

...Et mon tout est un homme

Denoël

Pierre Boileau et Thomas Narcejac sont nés à deux ans d'intervalle, le premier à Paris, le second à Rochefort. Boileau, mort en janvier 1989, collectionnait les journaux illustrés qui avaient enchanté son enfance. Narcejac, décédé en juin 1998, était spécialiste de la pêche à la graine.

À eux deux, ils ont écrit une œuvre qui fait date dans l'histoire du roman policier et qui, de Clouzot à Hitchcock, a souvent inspiré les cinéastes : *Les diaboliques, Les louves, Sueurs froides, Les visages de l'ombre, Meurtre en 45 tours, Les magiciennes, Maléfices, Maldonne...*

Ils ont reçu le prix de l'Humour noir en 1965 pour *...Et mon tout est un homme.*

Ils sont aussi les auteurs de contes et de nouvelles, de téléfilms, de romans policiers pour la jeunesse et d'essais sur le genre policier.

Le récit qu'on va lire est authentique. C'est pourquoi le narrateur, par prudence, a cru bon de modifier tous les noms. Si quelqu'un croyait se reconnaître, en tel ou tel personnage, il revendiquerait par là même une part de responsabilité dans cette étrange histoire.

Monsieur le Président de la République,

Si j'ose, aujourd'hui, vous adresser ce rapport, c'est parce que j'ai des raisons de croire que l'affaire René Myrtil ne vous a jamais été présentée sous son vrai jour et même que certains de ses aspects, ignorés de tous sauf de deux ou trois personnes, vous ont été systématiquement cachés. Les notes que j'ai remises à M. le Préfet de police — à partir du 19 avril — ne constituaient en quelque sorte qu'un aide-mémoire et les événements qui ont marqué la fin de cette terrible affaire n'ont jamais été consignés par écrit. C'est pourquoi je pense qu'il est devenu indispensable de reprendre, dans leur ensemble, des faits qui peuvent être diversement jugés quand on les connaît séparément mais qui, rassemblés, se chargent d'une signification redoutable que personne n'a peut-être pris sur soi de vous exposer. Mon rôle ne devait pas dépasser celui d'un observateur. Mais les vastes pouvoirs qui m'avaient été accordés firent de moi, bon gré mal gré, un enquêteur et me permirent d'aller jusqu'au fond d'un mystère plus horrible encore que celui du Masque de Fer ou de tel autre secret d'État dont la divulgation risque de mettre en danger la paix publique. La vérité que j'ai découverte, il appartient à la plus haute autorité de l'État, précisément, de la connaître non pas sous la forme d'un résumé, qui paraîtrait incroyable, mais telle que j'ai été amené, à travers mille doutes, à l'établir ou plutôt telle qu'elle a fini par s'imposer, au long des jours, à mon esprit. Je n'hésite donc pas, pour la clarté de l'exposé, à revenir longuement en arrière et à reprendre les choses en leur début, sans négliger aucun détail, sans ménager personne, afin que ce document — qui ressemblera plus à un roman qu'à un rapport par la nature même des faits — puisse servir à la fois les intérêts de la Justice et de la Science.

Je fus appelé dans le cabinet de M. le préfet de police le 19 avril, à onze heures. Cette date avait de quoi surprendre puisque tout le personnel de la Préfecture était en congé, ce 19 avril étant le lundi de Pâques. Mais M. Andreotti m'avait prévenu le vendredi soir.

« Mon cher Garric, ne vous éloignez pas. J'aurai sans doute besoin de vous dimanche ou lundi. »

J'étais son chef de cabinet depuis plusieurs années ; je compris tout de suite, à sa voix, qu'il s'agissait de quelque chose de grave.

« Aurait-on découvert, dis-je, quelque complot visant...

— Vous n'y êtes pas du tout. Je ne peux pas vous mettre encore au courant, mais ne partez pas en week-end. Ordre de la Présidence. »

Je formai, pendant quarante-huit heures, les hypothèses les plus saugrenues et, quand je m'assis devant M. Andreotti, ma curiosité était si vivement excitée que toute la suite de notre entretien s'est fixée dans ma mémoire avec la précision d'une sténographie. Mon interlocuteur était soucieux. Il m'offrit un de ces petits cigares hollandais qu'il goûte particulièrement et attaqua tout de suite.

« Mon cher Garric, vous êtes catholique, n'est-ce pas ?

— Oui, monsieur le Préfet.

— Vous allez me répondre sans détour. Si la mission pour laquelle je vous ai proposé vous déplaît, vous refusez et je tâcherai de trouver quelqu'un d'autre. Mais, de vous à moi, j'aimerais que vous acceptiez... Vous avez tout ce qu'il faut pour réussir et je pense que vos convictions... votre philosophie, si vous préférez... vous qualifient plus spécialement pour la tâche qu'on attend de vous. C'est une tâche très particulière, très difficile, qu'il convient d'aborder avec des soucis moraux beaucoup plus qu'avec une curiosité scientifique. »

Il se leva et marcha jusqu'à la haute fenêtre qui ouvrait sur une ville momentanément vidée de ses habitants. J'étais perplexe. L'embarras visible de M. Andreotti ajoutait au mien. Je ne crois pas inutile de reproduire fidèlement ces préliminaires, car, dans cette affaire, c'est le contexte qui est l'essentiel. En ce matin de Pâques, personne ne savait quelles seraient les conséquences d'une décision qui, pourtant, n'avait pas été prise à la légère. Mais, quand l'heure d'une bataille a été arrêtée, quand l'avenir n'est plus que chance et malchance, alors chaque seconde est d'un poids infini, tout est détail, tout compte. J'entends encore le bruit amorti du pas du préfet sur le tapis de haute laine ; je revois l'imperceptible déplacement du soleil sur le coin doré du bureau. Moi-même, j'étais encore entre le oui et le non.

« Ne vous formalisez pas, reprit M. Andreotti. Ce que je vais vous dire est beaucoup plus que confidentiel. Donnez-moi votre parole que vous ne répéterez jamais à personne ce que vous allez entendre.

— Je vous la donne, monsieur le Préfet. D'ailleurs, je suis célibataire, je n'ai aucune petite amie et je passe mes loisirs à écrire un essai sur les phénomènes parapsychiques. Je ne risque guère de bavarder.

— Je sais... Et je vous remercie... Connaissez-vous le professeur Marek ?

— De nom, oui. N'est-ce pas un chirurgien qui a réussi, sur les chiens, des opérations assez extraordinaires ?

— Exact. Mais il a fait beaucoup mieux depuis. Et s'il avait les moyens dont disposent certains chercheurs, en Amérique, c'est la chirurgie tout entière qui serait bouleversée. »

Il me tendit une photographie et je vis un visage curieusement plissé de rides. Celles du front étaient assez impressionnantes. Mais le long du nez, autour de la bouche, il y avait tout un réseau de craquelures, les unes minces comme des coups de rasoir, les autres profondes et semblant soutenir, comme des ficelles, l'affaissement des joues. Les yeux étaient noirs, sans chaleur, un peu fixes, regardant ailleurs. Une brosse courte et grisonnante dégageait les oreilles puissantes, charnues, un peu décollées. Je lus, au bas de la photo : *Anton Marek*.

« Il est tchèque d'origine, dit M. Andreotti. Il s'est réfugié en France au moment du soulèvement hongrois et il s'est installé à Ville-d'Avray. Vous verrez cette clinique quand vous irez là-bas. Elle est à l'image de l'homme. Car Marek, comment vous expliquer cela, c'est à la fois Einstein et Joanovici. Un mélange de génie et de bricolage sordide. Il vit là, parmi ses chiens, avec une petite équipe d'élèves fanatiques et, il faut bien l'avouer, il a fait des miracles. La Presse n'a pas tout dit, et ce qu'elle a révélé est passé inaperçu car les Américains et les Russes ont obtenu, dans ce domaine de la greffe, des résultats en apparence beaucoup plus spectaculaires. Il est relativement facile, maintenant, de prélever sur un individu une jambe, un bras, un rein et de les fixer sur un autre individu. Mais, si l'opération réussit toujours, en revanche, le membre ou l'organe transplanté ne « prend » pas. Il est extrêmement difficile de neutraliser les réactions de défense du sujet. Or Marek a découvert le moyen de supprimer ces réactions. Et cela, personne ne le sait. Entendez par là que nous avons fait le nécessaire pour que cette découverte soit tenue secrète. Je n'entre pas dans les détails, bien entendu. Cependant, je peux vous confier qu'une commission d'experts a vérifié les résultats obtenus par Marek sur ses chiens et ces résultats sont proprement effarants. Marek est capable non seulement de transférer, d'une bête sur une autre, un cœur, un foie, des poumons, à plus forte raison une patte, mais encore... vous entendez, Garric... une tête... En d'autres termes, il a mis au point la greffe intégrale.

— Je n'en suis pas tellement surpris, dis-je. Il y a longtemps que Scribner, aux États-Unis, a greffé des reins artificiels, et j'ai lu, tout dernièrement, un long article sur la banque des organes. Le journaliste rappelait que, sur l'initiative privée d'un hebdomadaire médical, une banque des yeux avait été créée et il demandait qu'un laboratoire de chirurgie expérimentale fût rattaché à la faculté de médecine. Je sais aussi qu'un Russe, Anastase... et un nom en " sky "... Laptchinsky, je crois, a greffé sur un chien, nommé Btatik, la patte d'un autre chien, après avoir remplacé tout le sang de Btatik par celui d'un autre animal.

— Mais une tête, mon cher Garric, une tête ?

— Oui, bien sûr, c'est remarquable... Cependant, puisque la suture des nerfs et des artères est d'une pratique courante, je ne vois pas que...

— Tant mieux, tant mieux. Après tout, c'est peut-être moi qui suis vieux jeu, dit M. Andreotti, et je suis ravi de vous trouver aussi compétent. Vous êtes vraiment l'homme qu'il nous faut. Mais attendez la suite. »

Il se rassit, réfléchit un instant et continua :

« Marek se fait fort d'obtenir les mêmes résultats avec des sujets humains. Seulement, vous voyez la difficulté ? Où prendre les donneurs ? À la rigueur, on conçoit qu'un père soit prêt à donner une main, mettons un bras, pour son enfant accidentellement mutilé, mais cela ne peut aller plus loin. On peut également imaginer qu'un homme âgé fasse don de sa personne à la science, si j'ose ainsi m'exprimer...

— Non, dis-je. Il faut, pour ce genre d'opérations, des individus jeunes et parfaitement sains.

— Cela ne suffit même pas, ajouta le préfet. Vous oubliez l'aspect juridique de la question. Or, supposez que vous vouliez, dans l'intérêt supérieur de la recherche, donner un poumon, ou un rein ou telle autre partie de votre corps, eh bien, vous n'en avez pas le droit. Mettons à part le cas du père ou de la mère qui se sacrifie pour un enfant, ce qui soulève déjà un problème ? Généralisons. Personne n'a le droit, en l'état actuel de nos lois, de se prêter à une mutilation volontaire.

— Restent les condamnés, dis-je.

— Voilà ! Il est évident qu'un condamné à mort, jeune, robuste, et, de plus, consentant, car cette condition est essentielle, constitue le seul matériel humain qui puisse être mis à la disposition d'un savant.

— Mais cela ne se produit jamais. »

M. Andreotti devint grave. Il se pencha vers moi, comme s'il craignait d'être entendu.

« Si. Nous l'avons, ce condamné. C'est Myrtil. »

J'avais oublié René Myrtil. Et pourtant, deux ans plus tôt, il avait défrayé la chronique. Il avait volé, à Orly, un chargement d'or destiné à la Banque de

France. Le plus formidable hold-up du siècle. Quatre milliards volatilisés. Deux convoyeurs tués. Myrtil avait été condamné à mort. Et puis l'actualité l'avait, peu à peu, repoussé à l'arrière-plan de nos curiosités. Il y avait assez de coups d'État et d'agressions militaires dans le monde pour qu'un assassin, même génial, perdît bien vite toute importance.

« Myrtil est volontaire, dit le préfet. Lui aussi est un cas.

— On l'a donc mis au courant ? »

M. Andreotti soupira.

« Mon cher ami, beaucoup de choses se font à notre insu, depuis quelques années. Disons, si vous voulez, que la raison d'État couvre beaucoup d'initiatives qui, en d'autres temps... Enfin, passons. J'ai appris, en effet, que Myrtil avait été pressenti...

— Mais voyons, monsieur le Préfet, c'est impensable... Qui voudrait recevoir... dans sa chair... une partie du corps d'un assassin...

— Attendez, ne vous emballez pas... Vous n'êtes pas au bout de vos surprises... Revenons d'abord à Myrtil. À la vérité, c'est lui, un jour, qui a fait savoir au directeur de la Santé, par l'intermédiaire de l'aumônier, qu'il était prêt à donner son corps à des médecins, à des chercheurs, pour contribuer au progrès de la science. Myrtil, en prison, a changé du tout au tout... J'ai rencontré, sur ordre, son aumônier, un bien digne homme. D'après lui, Myrtil s'est véritablement converti... À partir du jour où il a été soustrait à l'influence de sa maîtresse, une certaine Régine, qui est toujours incarcérée à la Petite Roquette, il s'est transformé.

— Ou bien il a joué la comédie.

— Quel aurait été son intérêt ?... Et puis, vous pensez bien que nous ne nous serions pas contentés de paroles. Non. Myrtil a voulu donner une preuve de sa sincérité. Il a révélé l'endroit où il avait caché le produit de ses différents crimes, notamment les lingots, si bien que nous avons récupéré intégralement le trésor volé... Enfin, quand je dis nous... vous me comprenez... C'est pourquoi sa proposition a été retenue. »

Le préfet baissa la voix.

« ... Et c'est pourquoi son recours en grâce n'a été rejeté que la semaine dernière. On a fait traîner les choses en longueur jusqu'à ce que tout fût prêt. Myrtil sera exécuté demain matin.

— J'avoue, monsieur le Préfet, que je ne vois pas...

— Vous allez comprendre. Résumons-nous : d'une part, nous avons un chirurgien qui est capable de réaliser, comme je vous le disais tout à l'heure, la greffe intégrale. D'autre part, nous avons un donneur universel, puisque toutes les parties de son corps, vous entendez bien, toutes... sont à notre disposition... Enfin, nous sommes en ce jour de l'année où, d'après les prévisions de la gendarmerie, il y aura deux cents morts sur les routes... alors, vous devinez maintenant la nature de l'expérience qui va être tentée ? »

Oui, d'un coup, je devinai, et cela me donna un tel choc que je ne pus m'empêcher de me lever et de marcher, à mon tour, dans le vaste cabinet de travail dont les riches tentures n'avaient sans doute jamais étouffé confidences plus extraordinaires.

« C'est fou, monsieur le Préfet, dis-je. C'est fou.

— J'ai eu la même réaction que vous... au début. Mais croyez-vous que lorsqu'on a fait exploser la première bombe, ce n'était pas fou ? Et lorsqu'on a envoyé le premier homme dans l'espace, est-ce que ce n'était pas fou ? On m'a dit... vous me suivez bien... on m'a dit que la France avait la possibilité de prendre la première place dans un domaine où ses ennemis, et aussi certains de ses amis, prétendent qu'elle est définitivement dépassée. Donc l'expérience aura lieu... Plus exactement, elle est en cours... Laissez-moi finir... Avant d'entrer dans le détail, je dois attirer votre attention sur ce fait que le secret le plus absolu a été gardé. Quelques hautes personnalités sont seules au courant. Si Marek échoue, eh bien, tant pis, on attendra une occasion meilleure. S'il réussit... c'est là, mon cher ami, que vous intervenez.

— Comment ?

— Vous pensez bien qu'en cas de succès on n'ira pas claironner le résultat acquis ! Il ne suffit pas de greffer un bras, une jambe... une tête. Il faut attendre. Et nous devrons peut-être patienter pendant des mois, pour voir comment les opérés réagiront, si la greffe ne provoquera pas des accidents secondaires, bref, nous avons besoin d'un observateur qui restera en contact avec nos sujets, recueillera leurs propos, surveillera leur réadaptation. C'est le côté humain, moral, de l'expérience qui intéresse surtout, en haut lieu, comme je vous l'ai dit en commençant. Vous aurez pleins pouvoirs, si vous êtes d'accord, et vous serez libre d'organiser votre travail comme vous l'entendrez. Simplement, une fois par mois, vous rédigerez une note que vous me remettrez. On vous demande d'oublier que vous êtes fonctionnaire. Il ne s'agit pas de plaire. Il s'agit de constater, objectivement... de voir si les opérés reprennent une vie normale, ou bien s'ils restent marqués par une intervention dont nous ignorons les conséquences psychologiques.

— Ne croyez-vous pas qu'un psychiatre ?...

— Surtout pas. Rien de tel pour leur coller des complexes. Non ! Vous deviendrez leur ami... Vous les mettrez en confiance... Je sais que vous réussirez parfaitement... Alors ? Que décidez-vous ?

— Je voudrais réfléchir un peu.

— Malheureusement, nous n'en aurons pas le

temps. Je vous le répète, l'expérience est en cours... En ce moment même, toutes les gendarmeries de la région parisienne ont ordre d'amener d'urgence à la clinique du professeur Marek les blessés les plus gravement atteints. Toutes les dispositions ont été prises pour que ces transferts aient lieu sans éveiller la curiosité. Marek choisira les sujets capables de supporter la greffe. C'est très compliqué, à cause des groupes sanguins, de l'état général des blessés, de leur âge, et peut-être quelquefois à cause des situations de famille. Nous allons probablement nous trouver devant des cas de conscience cruels. Vous voyez, maintenant, mon cher ami, pourquoi j'ai fait appel à vous. »

J'étais horriblement embarrassé. Je connaissais trop bien les coulisses de la politique pour ne pas voir clairement les difficultés qui m'attendaient, et pourtant je me sentais attiré par cette mission insolite. Autrefois, j'avais longuement hésité entre le droit et la philosophie. Mon père m'avait poussé vers l'École d'Administration, mais je n'avais pas perdu le goût de la recherche et je consacrais tous mes loisirs à l'étude de ces phénomènes psychiques si mal connus que sont les prémonitions, la voyance, la transmission de pensée... M. Andreotti savait bien ce qu'il faisait en me proposant une tâche aussi ingrate. Cependant, je n'arrivais pas à me décider.

« Qu'est-ce que l'on prélèvera, au juste, sur Myrtil ? demandai-je.

— Mais... tout, dit le préfet. Marek n'a pas l'intention d'utiliser seulement tel ou tel membre. Il veut tout prendre. L'occasion est trop belle. Songez qu'il va nous arriver des dizaines de moribonds. L'un aura les jambes broyées, un autre devra subir l'amputation du bras, un autre aura le ventre perforé, ou le thorax écrasé, ou le crâne fracturé. Demain, à la même heure,

Myrtil aura disparu, à la lettre, mais son cœur, sa tête, ses viscères, ses membres auront rendu la vie à d'innocentes victimes de la route. Grâce à son sacrifice, six ou sept personnes survivront.

— C'est affreux, murmurai-je. Quand je pense qu'elles roulent, en cette minute même, et qu'ensuite... Je n'avais pas bien compris, tout à l'heure. Je croyais que Marek se proposait seulement de greffer deux ou trois organes.

— Mais non, justement. Ce qui constitue l'événement scientifique, c'est qu'il a l'intention de prendre un corps et de le répartir... À l'issue de son intervention, il ne restera plus rien de Myrtil. Vous voyez ! »

Certes oui, je voyais. J'étais même fasciné par cette horrible expérience.

« Naturellement, reprit le préfet, les opérés ne sauront pas qu'ils doivent une partie d'eux-mêmes à un criminel. Quant à Myrtil, il sera exécuté à la Santé dans les conditions habituelles, mais un des collaborateurs de Marek assistera à l'exécution et fera le nécessaire pour que la tête ne subisse aucun dommage. Il y a des précautions spéciales à prendre, que j'ignore évidemment, mais le professeur a mis au point un procédé qui, paraît-il, retarde la nécrose de la matière cérébrale. La dépouille de Myrtil sera conduite à la clinique et les greffes auront lieu aussitôt. Les rues seront dégagées pour que le trajet dure le moins longtemps possible. Tout a été étudié, prévu. Il est certain que Marek réussira. De ce coté-là, n'ayez aucune inquiétude. Votre rôle, à vous, est de prévoir les impondérables. »

Je ne pus m'empêcher de sourire.

« J'aime le mot, dis-je. Il me rassure.

— Alors, vous acceptez ?

— Soit !... J'accepte.

— Je vous en suis très reconnaissant, mon cher

ami. Et si tout va bien, croyez-moi, d'autres, mieux placés, vous témoigneront leur gratitude. J'ai fait préparer un dossier. Il contient le *curriculum vitae* de René Myrtil, celui de Marek et divers renseignements qui vous seront utiles, notamment les noms des personnes, des très rares personnes, qu'il a fallu mettre au courant. À partir de maintenant, vous êtes complètement indépendant. Vous trouverez, dans le dossier, un ordre de mission qui vous ouvrira toutes les portes. En cas de besoin, appelez-moi. Mais ne dites jamais rien qui puisse faire soupçonner la vérité. Nous sommes bien d'accord ?

— Entièrement, monsieur le Préfet.

— N'oubliez pas la petite note mensuelle. Autre chose : pour tout le monde, ici, vous avez sollicité un congé... N'est-ce pas ?... Pour convenance personnelle. Maintenant, il ne me reste qu'à vous souhaiter bonne chance. »

Il me tendit la main et ajouta, en me reconduisant :

« Je n'ai aucun conseil à vous donner, mais à votre place, je passerais à la Permanence[1]... C'est le commissaire divisionnaire Lambert qui dirige l'opération. Bon courage, Garric ! »

Je sortis, la tête pleine de tumulte, et, tandis que je descendais le grand escalier désert, je m'aperçus que j'avais oublié de poser mille questions... Par exemple : les familles des accidentés accepteraient-elles l'expérience ?... Dans l'affirmative, avait-on le droit de leur cacher l'origine des membres qui seraient greffés ?... Et que se passerait-il s'il fallait choisir entre tel et tel blessé, décider qui devrait survivre et qui succomber ? Les cas de conscience n'étaient pas mon fort et je faillis revenir sur mes pas pour dire au préfet que, tout

1. Il s'agit d'une permanence à l'état-major de la Direction générale de la police municipale. (*N.D.É.*)

bien pesé, je n'étais pas l'homme qui convenait. Mais autant envoyer ma démission. J'étais malade à la pensée que, déjà, les premières victimes étaient en route pour Ville-d'Avray. Mon désarroi était tel que je dus m'asseoir sur une banquette. J'ouvris le dossier. Il ne contenait pas grand-chose. Je lus quelques pages dactylographiées consacrées à Myrtil. L'homme était jeune : vingt-huit ans. Deux photographies, le représentant de face et de profil, étaient collées sur un carton. Visage ouvert, sympathique. Des yeux bleus, qui paraissaient francs. Un profil net, viril, assez beau.

René Myrtil était le fils d'un pharmacien. Il avait fait de bonnes études, puis avait été mobilisé et avait passé treize mois en Algérie. Ensuite, tout se gâtait. Soupçonné d'avoir participé à divers cambriolages, sur la Côte d'Azur, il avait été arrêté, puis relâché; arrêté une seconde fois pour port d'arme prohibée et résistance à la force publique. Bientôt libéré, il avait disparu pendant deux ans; une note du commissaire Bertin indiquait qu'il avait probablement fait partie d'un commando opérant dans le Sud-Ouest et spécialisé dans l'attaque des banques et voitures postales. Mais aucune preuve n'avait été relevée contre lui. Puis plusieurs témoins dignes de foi affirmaient l'avoir vu au volant d'une mystérieuse camionnette qui avait joué un rôle dans l'enlèvement d'une personnalité très connue. Enfin venait la liste de ses méfaits : trafic d'armes, de devises, deux bijouteries cambriolées en plein jour, à Paris, règlement de comptes sanglant, rue Blanche, coups de feu sur des agents et, bien entendu, le hold-up d'Orly... Bref, la liste était longue et accablante. Une fiche mentionnait l'adresse de son avocat, maître Hébert-Jamain, et je me demandai s'il ne serait pas opportun de rendre visite à ce dernier. Mais, à la réflexion, je renonçai à ce projet. Quel motif valable pourrais-je donner à ma démarche? Ne risquerait-elle pas de paraître suspecte à Hébert-Jamain? Et à quoi bon, puisque René Myrtil allait totalement disparaître! En revanche, j'aurais peut-être intérêt à parler avec cette Régine qui, d'après le commissaire Bertin, avait fortement contribué à dévoyer Myrtil. C'était plus fort que moi : j'avais envie d'en apprendre plus long sur Myrtil. J'étais obligé de m'avouer que ce qui me troublait le plus, en cette affaire, c'était l'obsédante pensée que Myrtil allait mourir comme personne n'était mort avant lui. Aucune fosse ne s'ouvrirait pour Myrtil. Il allait disparaître dans une sorte d'absence qui défiait l'imagination. Je regardai ce visage : dans quelques heures, il serait celui d'un autre. Il abriterait d'autres pensées, probablement médiocres, et serait peut-être caressé par des mains qui... Non! Ce n'était pas possible? Si le moribond, auquel était déjà destinée la tête de Myrtil, était marié, que ferait cette femme, en présence d'un mari, vivant, certes, mais brusquement étranger, inconnu; au fond, qu'est-ce qu'on aime, dans un être? Un homme qui serait brusquement mutilé, une « gueule cassée »... est-ce qu'une femme l'abandonnerait? Mais la tête d'un autre?... Et si elle demandait le divorce? Et des dommages-intérêts? Ce qui m'irritait particulièrement dans ces problèmes que je remuais avec une sourde terreur, c'était leur côté grinçant, absurde, et, faut-il le dire, comique. J'en étais déjà à ce point de lassitude où l'on en vient à se moquer de ce qui vous écœure. Après tout, cette femme ne serait peut-être pas fâchée d'échanger une tête banale contre celle de Myrtil. Elle aurait l'impression de tromper son mari avec son mari. Stop! Je devenais idiot.

Je me levai, de plus en plus troublé. Je touchais du doigt ce que le préfet avait si élégamment appelé des

« impondérables ». J'entrai dans le bureau du commissaire Lambert. Celui-ci m'attendait. Il était visiblement intrigué, mais ne se permit aucune question et se borna à me résumer la situation. Quelques accidents graves en province, plusieurs accrochages aux environs de Paris, notamment un bras écrasé, à Dourdan. Le blessé a été aussitôt conduit à Ville-d'Avray.

« Il s'agit d'un certain Olivier Gaubrey, m'expliqua le commissaire. Trente ans. État sérieux. Il faudra certainement l'amputer.

— Qu'est-ce qu'il fait ?

— Il peint. Il habite rue Ravignan.

— Marié ?

— Non.

— Quel bras ?

— Le gauche. Cela ne le gênera pas trop. »

À ce moment, le téléphone sonna et le commissaire se précipita. Je pris l'écouteur, le cœur serré. J'entendis une voix lointaine, un peu affolée, qui criait :

« Allô... Poste 14. Sortie de l'autoroute de l'Ouest. Brigadier-chef Meunier. Un accident grave vient de se produire par suite de l'éclatement d'un pneu. Il y a deux morts et deux blessés graves... L'ambulance vient d'arriver.

— C'est quoi, les blessures ? demanda le commissaire.

— Dans une des voitures, une femme a la jambe gauche complètement écrasée. Son mari a été tué. Dans l'autre voiture, c'est le contraire : la femme a succombé, mais l'homme peut s'en tirer si on l'opère à temps. Il a la jambe droite presque arrachée et des contusions.

— Dirigez-les sur Ville-d'Avray, comme convenu », ordonna le commissaire.

Il se retourna vers moi. Il était un peu pâle.

« Ce n'est pas encore l'heure de pointe, dit-il. Mais dans deux ou trois heures, nous allons être débordés. »

Je pensais à cet homme et à cette femme, dont la vie dépendait de Myrtil. Mais oserait-on greffer une des jambes de Myrtil sur... ?

« Pouvez-vous me faire conduire tout de suite à Ville-d'Avray ? demandai-je.

— C'est facile ! »

La tête me tournait quand je pris place dans la voiture.

Anton Marek était plus petit et plus vieux que je ne l'avais imaginé. Un tic lui faisait battre une paupière et sa joue s'agitait sans cesse, comme la peau d'un cheval sous la piqûre des mouches. Il avait des yeux jaunes, ardents, qui vous regardaient avec une insistance gênante, peut-être parce qu'il s'exprimait mal en français, et craignait de n'être pas compris. Il me salua avec une déférence excessive et m'emmena dans son bureau. Le mobilier était pauvre mais les bibliothèques étaient bourrées de livres, de revues, de publications en toutes langues. Les deux fenêtres donnaient sur une vaste cour entourée de chenils et j'apercevais, de temps en temps, un museau qui se collait au grillage, ou une patte impatiente, qui grattait. La porte cochère, ouverte à deux battants, était gardée par un gendarme. J'avais expliqué, en deux mots, au professeur, la nature de ma mission, et maintenant il me mettait au courant de ses travaux ou plutôt, tenant un auditeur complaisant, il développait d'abondance ses théories et je crus très vite démêler qu'il avait une revanche à prendre sur un passé obscur et difficile. Visiblement, il plaidait mais dans un jargon scientifique à peu près hermétique au profane.

Je n'étais pas là pour subir un cours et j'essayai de le lui faire comprendre poliment. En vain ! L'homme appartenait à cette race de chercheurs solitaires qui ne vivent que pour avoir raison et dont on ne sait jamais ce qui l'emportera en eux du génie ou du fanatisme En même temps, il y avait, dans ses hochements de tête, dans sa manière de se pencher vers moi, quelque chose de servile, d'empressé à plaire, qui me faisait un peu mal. Anton Marek ! Ce nom représentait vingt ans de guerre, de progroms, de putsch, de fuites éperdues, de misère. Et c'était ce personnage écrasé par la vie qui voulait être un raccommodeur d'hommes !

« Je vous fais confiance, monsieur le Professeur, dis-je. Une question seulement : puis-je m'installer ici jusqu'à demain ? »

Je pouvais, bien sûr. Ce n'était pas la place qui manquait. Des pièces avaient été transformées, équipées d'une manière moderne. D'ailleurs, si je voulais visiter... Il fallut visiter et je fus agréablement surpris. Marek avait tiré un remarquable parti de l'ancien hôtel qu'il avait acheté pour une bouchée de pain, prétendait-il. Les chambres étaient exiguës, car il avait coupé en deux plusieurs pièces, mais confortables. J'aurais aimé jeter un coup d'œil sur le bloc opératoire ; cette partie de la maison était interdite, malheureusement. Il y régnait une grande activité. Des infirmiers s'affairaient. Un secrétaire, à l'entrée du couloir menant à la salle d'opération, tapait furieusement à la machine.

« Je ne vois pas de femmes, dis-je.

— Je ne veux pas d'indiscrétions », répondit Marek, d'un air soucieux.

À ce moment, une ambulance s'arrêta dans la cour. Nous nous précipitâmes. Un motard nous salua, releva ses lunettes.

« On vous en amène un autre, dit-il. Celui-là est dans un drôle d'état. Il a percuté un camion qui transportait des poutrelles. Vous vous rendez compte, des poutrelles, un jour de fête !... Alors il s'est empalé. Il a la poitrine complètement défoncée.

— Très bien, murmura Marek. Très intéressant. »

Déjà, des infirmiers retiraient doucement le brancard de l'ambulance.

« Voilà ses papiers..., reprit le motard, Roger Mousseron, étudiant, vingt-deux ans... Il habite rue des Saints-Pères... Si c'est pas malheureux de voir ça ! »

Le brancard filait vers la salle d'opération. J'eus à peine le temps d'entrevoir un visage cireux et des lèvres qui découvraient des dents.

« Ne m'amenez plus de jambes droites, dit Marek au motard. J'ai ce qu'il faut. Ce que je voudrais, c'est une jambe gauche, un bras droit, un ventre... et une tête... surtout une tête.

— Dame, dit le motard un peu surpris, on ne fait pas ce qu'on veut... Ce n'est pas moi qui commande, vous savez. »

D'un coup de botte impatient, il lança son moteur et repartit, précédant l'ambulance. Marek s'excusa. Il devait s'occuper du blessé. Je pris donc possession du bureau, afin d'avoir le téléphone sous la main, et j'appelai le commissaire Lambert. Justement, celui-ci se préparait à nous expédier un homme qui avait le bras droit en très mauvais état.

« Quel âge a-t-il ?

— Cinquante-deux ans.

— Impossible, dis-je. Il nous faut des sujets entre vingt et trente ans, pas davantage. »

Des sujets ! Voilà que j'adoptais le vocabulaire du professeur ! Mais, depuis mon arrivée à la clinique, je me sentais tout différent. Passé le premier choc de la surprise, je commençais à m'adapter à l'incroyable situation. J'allumai une cigarette, pour combattre la désagréable odeur d'hôpital qui traînait partout, et je parcourus la fiche consacrée à la maîtresse de Myrtil. Car ma pensée revenait toujours au condamné. Régine Mancel était modèle et avait tourné dans quelques films publicitaires. Elle avait connu Myrtil à Paris. Elle affirmait qu'elle ignorait les véritables activités de son amant. Accusée de recel, elle avait été condamnée à deux ans de prison et ne tarderait pas à en être libérée. Il y avait là un risque auquel M. Andreotti n'avait peut-être pas suffisamment réfléchi. Que se passerait-il si, un jour, la fille reconnaissait la tête de René Myrtil sur les épaules d'un autre homme? Elle n'hésiterait pas à faire du scandale! Surtout si l'homme qu'on allait bientôt nous amener était marié! Je priai Dieu qu'il fût célibataire. Il était impossible de maintenir Régine Mancel en prison. Même dans ce cas, réussirions-nous à garder le secret? Dès que je me donnais la peine d'examiner d'un peu près l'expérience en cours, je découvrais des difficultés nouvelles. En haut lieu, sans doute avait-on été surtout attentif à ses conséquences scientifiques. Mais ses aspects humains n'avaient pas été pesés avec assez de soin. J'étais là pour les étudier et je me proposais de le faire avec la plus grande rigueur; malheureusement, il m'était impossible de prévoir et de prévenir certains effets inévitables. Je venais d'en repérer un. Combien en restait-il d'inaperçus et de plus redoutables encore? Sans parler de certains problèmes qui n'allaient plus tarder à me hanter, je le sentais bien. Par exemple, l'âme de René Myrtil...

Le téléphone sonna. C'était le commissaire.

« Allô... J'ai peut-être quelque chose pour vous... Un bonhomme qui s'est encastré sous un camion à l'arrêt... On est en train de le dégager au chalumeau. Il vit, mais il semble bien qu'il ait le bassin complètement écrasé.

— Quel âge ?

— Trente et un ans. Il s'appelle Francis Jumauge. Il habite Versailles...

— Envoyez-le. Vous n'avez pas de jambe gauche ? Il nous faudrait une jambe gauche d'homme.

— Je vais transmettre. »

Comme je reposais l'appareil, le professeur entra.

« Toujours pas de tête ? demanda-t-il.

— Non. On nous expédie un bassin.

— Bon. C'est toujours ça. Mais c'est la tête qui m'intéresse. Sans la tête, l'expérience ne signifie plus rien. Enfin, pourtant, une fracture du crâne, c'est comment dites-vous... argent comptant ?

— Non... Monnaie courante... Comment vont les blessés ? »

Il remua la main, comme s'il voulait l'introduire dans un gant trop étroit.

« J'espère... Mais il sera grand temps... Le dernier est très bas... »

La tête nous fut livrée à la fin de l'après-midi. À la vérité, il y en eut trois, mais nous éliminâmes d'un commun accord celui des trois accidentés qui fut reconnu alcoolique. Les deux autres avaient des chances égales. J'insistai pour que Marek choisît le célibataire et il se rendit à mon avis. Ce fut donc Albert Nérisse qui fut retenu. Il avait trente-quatre ans et était employé de banque. Avec celui-là, nous aurions probablement moins d'ennuis. Car, si le peintre, si Étienne Éramble et Simone Gallart ne présentaient pas de difficultés — ils ne seraient que trop heureux de retrouver l'usage de leur membre — les autres, en revanche, ne pouvaient être opérés sans l'accord de leur famille, et j'avais déjà télégraphié à la mère de Jumauge et à la sœur de Mousseron, qui, toutes deux habitaient la province. Je savais que c'était pour la forme et que les deux femmes donneraient carte blanche à Marek mais il fallait qu'elles fussent prévenues et consentantes. Albert Nérisse, lui, n'avait que des cousins très éloignés ; le commissaire m'en donna confirmation vers six heures. Nous avions donc les mains libres. Mais supporterait-il l'opération ? Il était mourant et paraissait de constitution fragile. En outre, il était sensiblement plus petit que Myrtil. Sur ses épaules, la tête du condamné pèserait bien lourd ! Tant pis ! On n'avait pas le choix. Restait le bras droit. À tout hasard, on en avait fait mettre un de côté, à Lyon... un piéton renversé par un trolleybus... mais, là non plus, la taille ne coïncidait pas. Cependant, si rien de mieux ne s'offrait, on amènerait le blessé dans la nuit, par avion. Je voulus rendre visite à nos patients. Marek s'y opposa. Ses collaborateurs les préparaient pour l'intervention décisive.

« Est-ce que, du moins, Simone Gallart sait qu'on va lui greffer une jambe d'homme ?

— Non, avoua le professeur. Je lui ai seulement promis de tout tenter pour sauver sa jambe. Mais, si je peux avoir un homme dans le courant de la nuit, je n'hésiterai plus. Je crois que ce serait plus convenable. »

Je faillis sourire. Mais le professeur ne plaisantait pas. D'ailleurs, il ne devait jamais plaisanter. Simplement, il n'aurait pas accepté, lui, d'avoir une jambe de femme. Je m'avisai qu'il avait sans doute pratiqué la chirurgie esthétique avant de se lancer dans ses recherches sur les greffes. Ses premiers capitaux ne pouvaient avoir d'autre origine. Je me renseignerais à la préfecture.

Je pris un rapide repas, vers sept heures, dans le bureau du professeur. Marek vint me rejoindre pour boire une tasse de café. Il paraissait fatigué et nerveux ; irrité aussi. Jumauge lui donnait des inquiétudes.

« Si j'avais ce Myrtil sous la main, me confia-t-il, si je pouvais disposer de lui librement, je serais sûr de réussir. Mais il y a la loi. Il faut guillotiner à l'aube. Pourquoi pas en pleine nuit, hein ? Qu'est-ce que ça changerait ? Comment voulez-vous faire quelque chose de scientifique dans ces conditions ? »

Il se versa une seconde tasse de café qu'il avala, brûlante, et saisit le téléphone. Il dut parlementer un moment avant d'avoir le directeur de la Santé.

« Ici, Anton Marek... Oui, moi aussi, monsieur le Directeur. »

Il me tendit l'écouteur.

« C'est au sujet du condamné... Est-ce qu'il est agité ?

— Pas du tout, dit le directeur. En ce moment, il parle avec l'aumônier, comme tous les soirs. Ils prient ensemble. C'est plutôt Myrtil qui console le prêtre. Je vous assure que c'est un spectacle très extraordinaire.

— Bon, bon... Cependant, s'il dormait mal, il faudrait lui donner le calmant que j'ai prescrit... Vingt gouttes... Rien de changé, pour l'heure ?

— Non. Tout sera fini à cinq heures et demie.

— Il n'est pas possible... d'avancer un peu ?

— Oh ! Ce serait absolument contraire au règlement.

— Le règlement, je m'en fous ! grogna Marek en plantant violemment le combiné sur sa fourche. Enfin, monsieur Garric, le condamné est d'accord... Tout le monde est d'accord... Est-ce que ce n'est pas absurde ? »

Il sortit en claquant la porte. Je reçus encore quelques messages, sans intérêt. Je faisais diriger les derniers blessés signalés vers les hôpitaux. Nous n'avions pas encore de bras droit, et la circulation redevenait très fluide aux portes de Paris. Bientôt, il ne faudrait plus compter que sur une rixe. La chance, pourtant, ne nous abandonna pas. À onze heures et quart, alors que je somnolais, malgré tous mes efforts pour rester éveillé et enregistrer tous les détails de cette nuit mémorable, le téléphone sonna encore.

« Ici le commissaire Ducellier... Je remplace le commissaire Lambert... Mes respects, monsieur. Nous avons un blessé grave... un cycliste qui circulait sans lumière... Il a le bras droit à moitié arraché. En ce moment, nous essayons d'arrêter l'hémorragie.

— Quel âge ?

— Une trentaine d'années.

— Parfait. Envoyez-le. »

J'allai moi-même attendre l'ambulance, dans la cour. Les chiens s'agitaient, poussaient de brefs aboiements, excités par ces allées et venues inhabituelles. Je remarquai qu'il faisait une nuit magnifique... la dernière nuit de René Myrtil ! Myrtil priait peut-être encore. Pour qui ? Pour quoi ? Où serait son âme, quand son corps appartiendrait à sept personnes ? Est-ce qu'on avait le droit de disposer ainsi d'un être humain ? Il faudrait que je m'ouvre de cette question à un théologien. Je n'eus pas le temps de méditer davantage ; l'ambulance arrivait. À son coup de klaxon discret, surgirent les infirmiers. Le perron s'illumina, et le brancard fut retiré. Une couverture avait été jetée sur l'homme. J'aperçus, au vol, son visage blême, le haut d'un veston noir, un col dur. Je m'approchai du chauffeur.

« C'est un garçon de café ?... Il revenait de son travail ?

— Pensez-vous. C'est un curé. Il avait un vieux vélo déglingué, pas d'éclairage... Il s'est fait emboutir aussi sec... Un curé manchot, ça la fout mal.

— Taisez-vous donc, criai-je, exaspéré.

— Oh ! pardon... Moi, vous savez, j'ai rien contre eux. Chacun son boulot ! »

Il effectua un demi-tour et partit. Un infirmier, dans le vestibule, me remit le portefeuille du prêtre. Il s'appelait Antoine Leviret. Il avait vingt-neuf ans et était vicaire à Vanves. J'étais accablé. J'avais l'impression de rêver, de penser avec l'esprit d'un autre. Peut-être Nérisse éprouverait-il sans cesse la même impression, quand il se servirait de la tête de Myrtil ? Je tâtai mes poches. Plus de cigarettes. Je sonnai pour avoir du café, un grand pot de café. Pourquoi ne pas le reconnaître franchement ? J'étais choqué... Qu'un prêtre fît partie des sept cobayes, non... cela me semblait inadmissible et monstrueux. Encore un préjugé à vaincre ! Le préfet avait raison quand il prétendait que toute grande aventure scientifique paraissait folle, au début... Moi-même, en dépit de toute ma bonne volonté, je ne pouvais m'empêcher de frémir quand j'imaginais l'abbé Leviret traçant le signe de la croix avec la main d'un criminel.

Évidemment, cette main ne serait plus celle de Myrtil. Elle serait en quelque sorte assimilée par son nouveau possesseur... Quand on subit une transfusion de sang, est-ce qu'on ne personnalise pas le sang qu'on reçoit ? Alors ?... Quelle différence, au fond, entre le sang d'un autre et la main, le bras, la tête d'un autre ? Je ne serais pas bon observateur si je n'imposais pas silence, définitivement, à mon imagination. Je me devais d'étudier les résultats de l'expérience avec une totale objectivité, en faisant abstraction de toute idée reçue, de tout préjugé... Quant à l'âme de Myrtil... eh bien, supposons qu'un lion dévore un missionnaire... la chair du second devient la chair du premier... Il ne reste rien, finalement, du corps... et l'âme subit le sort commun des âmes... Pas de problème !... Mes idées devenaient de plus en plus confuses, malgré le café. La sonnerie du téléphone me tira de la torpeur où je glissais. Il était un peu plus de minuit. C'était Mme Jumauge qui demandait des nouvelles de son fils. Je la rassurai de mon mieux et lui précisai que, toute visite étant interdite jusqu'à nouvel ordre, il était absolument inutile qu'elle se déplaçât. On la tiendrait au courant des suites de l'opération. Quelques instants plus tard, ce fut la sœur de Mousseron, qui appela. Je lui tins à peu près le même langage. Encore cinq heures d'attente... Vers trois heures, il se produisit un certain remue-ménage, au rez-de-chaussée. On devait tout préparer pour recevoir la dépouille de René Myrtil... Là-bas, dans la cour de la prison, les bois de justice devaient se dresser.

Je débarrassai un coin de divan des revues qui l'encombraient et résolus de faire paisiblement le point. Je m'endormis aussitôt. Ce fut le professeur qui me réveilla.

« Excusez-moi, dit-il, mais il est cinq heures. Le moment approche.

— Les blessés ?

— Ils tiennent tous. Avec un peu de chance, je crois que j'y arriverai.

— Mais vous ne pouvez pas procéder à sept opérations de suite ?

— Non... Les greffes des membres seront faites par mes collaborateurs... Cela ne présente aucune difficulté spéciale. Moi, je vais m'occuper de la tête, d'abord. C'est extrêmement long et délicat... J'espère qu'à la prison, ils ne commettront pas de... de...

— D'impair ?

— Exactement... Le couperet ne doit pas tomber à la petite fortune.

— Vous voulez dire : au petit bonheur.

— Parfaitement... J'ai un aide, là-bas, qui est chargé de régler l'opération. Ce qui demande le plus de temps, c'est la pose du plâtre, pour que la tête demeure solidement fixée au tronc... Vous voulez bien m'accompagner dehors ? »

Nous sortîmes. La nuit était claire. Des bruits de trains nous parvinrent de loin et l'air sentait, déjà, le foin, l'herbe mouillée, la fleur éclose.

« La convalescence est longue ? demandai-je.

— Pour les chiens, non... Mais pour l'homme, je ne sais pas. Grâce aux procédés que j'ai mis au point, c'est l'affaire de quelques semaines, je suppose. Je parle pour la tête. Pour les autres organes, ça ira beaucoup plus vite.

— Et vous pensez que Nérisse retrouvera ses facultés intactes ?

— Pourquoi pas ? Il faudra peut-être le rééduquer... Il aura forcément des troubles de mémoire, par exemple...

— Vous ne voulez pas dire que les souvenirs de Myrtil se mélangeront aux siens ? Ce serait terrible.

— Non, pas du tout... Mais il aura à se familiariser avec le nouvel instrument... comme un violoniste qui change de violon.

— J'avoue que cette conception me semble un peu... ne vous offensez pas, professeur... un peu simple.

— Peut-être. Il faut voir.

— Et après Nérisse, qui opérerez-vous ?

— Jumauge... Son cas est particulièrement intéressant : il a pratiquement tous les viscères à remplacer, y compris les parties génitales. Mais, dès qu'on travaille sur des muqueuses et sur des nerfs faciles à isoler, on va vite et à peu près sans risque. J'aurai terminé ce soir, j'espère.

— Et Mousseron ?

— Mon second se chargera de lui. La greffe du cœur est assez facile. Pour les poumons, il y a un rond de mains...

— Un tour de main.

— Oui, merci... un tour de main à attraper. Mais j'ai inventé un système qui simplifie beaucoup l'opération. Il n'y a que deux côtes à scier. Le malade pourra marcher au bout d'une dizaine de jours.

— Dommage que vous n'ayez pas un homme pour la jambe gauche de Myrtil.

— Oui, c'est ce que je regrette le plus. Encore que l'expérience puisse être pleine d'enseignement.

— Mme Gallart ne boitera pas ?

— Aucune raison. Elle est de la même taille que Myrtil. Mais sa jambe gauche sera évidemment beaucoup plus musclée que sa jambe droite. Il faudra qu'elle porte un pantalon ou des robes longues.

— Et si... je m'excuse, c'est une idée bizarre qui me vient à l'esprit... si vos patients étaient victimes d'un nouvel accident... on pourrait renouveler la greffe ? Par exemple, Mme Gallart, un jour, à la suite de circonstances que j'imagine mal, pourrait-elle recevoir une jambe gauche appartenant à une femme ?

— Bien sûr. Chirurgicalement, j'affirme que la greffe, quelle qu'elle soit, est indéfiniment renouvelable. Je veux justement prouver que c'est le problème de la mort qui est résolu. Le seul problème insoluble est celui des donneurs. C'est un problème plus politique que médical. »

Il souleva son poignet pour regarder l'heure.

« Cinq heures vingt minutes, dit-il. Pourvu qu'ils ne perdent pas une minute ! »

Il ne pensait pas à Myrtil qui allait mourir. Myrtil n'était pour lui qu'un ensemble d'os, d'artères, de tissus, une sorte de réserve dans laquelle il se préparait à puiser. J'avais sous les yeux un savant à l'état pur ; est-ce qu'il était mû par l'ambition, le désir de la gloire ? J'avais plutôt l'impression qu'il n'était possédé que par le démon de la recherche. Il était homme à regretter les camps de la mort, qui pouvaient, à volonté, fournir des donneurs. C'était, en vérité, la seule solution « politique » du problème. Est-ce qu'un jour l'humanité entretiendrait, en cage, ses cobayes, comme Marek élevait ses chiens ?

Il faisait un peu froid. Là-bas, Myrtil se dirigeait, sans doute, vers la guillotine. Des souvenirs de livres, d'articles, de films, me revenaient en mémoire : l'immense corridor, le cortège des hommes en noir, et le condamné, sa chemise échancrée, les poignets liés derrière le dos, marchant près de l'aumônier... Je plaignais Myrtil.

La demie sonna, quelque part, et d'autres coups, graves, tintèrent, au clocher, à la mairie... Le couperet venait de s'abattre. Myrtil était mort. Mentalement, j'implorai pour lui le pardon de Dieu. Mais cette mort faisait peut-être mystérieusement partie de quelque arrangement supérieur des événements ? Ce coupable repenti, d'un côté... de l'autre, ces agonisants qui allaient revivre ?... Pourquoi, dès lors, s'insurger ? Est-ce que ce ne sont pas les Marek, qui, de temps en temps, impriment une secousse décisive à l'Histoire ?

« Ils n'en finissent pas », grommela Marek.

Lui, du moins, ne s'embarrassait pas de scrupules. Il battait la semelle, se frottait les mains, comme un athlète qui, avant un exercice périlleux, vérifie sa souplesse et ramasse ses forces. Deux infirmiers nous rejoignirent. Ils parlèrent un instant avec le professeur, dans une langue que je ne compris pas.

« Ils ne savent pas le français ? demandai-je.

— Presque pas... Je ne veux pas la moindre indiscrétion. Nous serions envahis par les journalistes et tout travail deviendrait impossible.

— Pourtant, un jour, il faudra bien révéler au monde que...

— Le plus tard possible, m'interrompit le professeur. D'ici là, j'aurai peut-être le temps et les moyens de me faire construire, à l'écart, une clinique bien protégée.

— Mais... les familles des opérés ?... Vous n'avez pas l'intention de les refouler ?

— Non... non, évidemment.

— Comment leur expliquerez-vous... la chose ?

— Je compte sur vous. Après tout, vous êtes ici pour cela... Il suffira de leur dire que des organes ont été prélevés sur d'autres blessés inguérissables. On l'a déjà fait pour des yeux et le public le sait. Donc, personne ne s'étonnera. Vous leur recommanderez de garder le silence, naturellement. Tout le monde comprendra. Ni les familles ni les opérés eux-mêmes ne tiendront à voir leurs noms étalés dans les journaux, leurs plaies photographiées, leurs maisons assiégées par les curieux... »

Dans la distance, soudain, on entendit les deux notes d'une voiture de police.

« Les voilà, cria Marek. Tout le monde en place ! »

Quelques instants plus tard, précédés de plusieurs motocyclistes, une voiture noire et un fourgon viraient dans la cour, les infirmiers ouvrirent l'arrière du fourgon et amenèrent le cercueil, encore taché de sang. Ils l'empoignèrent, à quatre, et s'engouffrèrent dans la clinique.

« Qu'est-ce qu'ils comptent en faire ? me demanda l'un des motards. Le ressusciter ?

— Comment s'est-il comporté ? » lui dis-je.

Il haussa les épaules.

« Un cran formidable, paraît-il. Il est allé à la bascule comme d'autres vont acheter un billet de la

Loterie nationale. Ce n'est pas du courage, ça. C'est de l'inconscience.

— N'empêche, dit un autre. Faut en avoir pour garder le sourire devant le couteau, croyez-moi ! »

Le fourgon manœuvrait. Les motards me saluèrent et le cortège repartit. Des chiens hurlèrent. Quelqu'un repoussa les vantaux. Pour moi, le plus dur était passé. Je n'avais plus envie de dormir. En vérité, je n'avais envie de rien. J'étais désœuvré, sans but, sans pensée. Du dos de la main, je tâtai mes joues. J'avais besoin d'un bon coup de rasoir. Je revins dans la clinique. Au moment où j'allais entrer dans le bureau, j'entendis un roulement doux et je vis passer les sept chariots aux roues caoutchoutées. Les blessés étaient immobiles comme des gisants. Ils disparurent dans le bloc opératoire, laissant derrière eux un relent d'éther. J'allai jusqu'au téléphone et appelai le préfet, à son numéro privé.

« En somme, tout va bien, me dit-il, quand je lui eus résumé la situation.

— En un sens, oui, monsieur le Préfet, tout va bien.

— Vous avez l'air chiffonné ?

— Je suis fatigué ; j'ai sommeil...

— Vous êtes bien sûr que c'est tout ?

— Non, c'est exact, je suis un peu malade, aussi. J'étais si peu préparé !... Je voudrais vous poser une question.

— Je vous en prie.

— Pourquoi a-t-on confié à Marek, justement, la charge d'une pareille expérience ? Il est naturalisé, je sais. Ne vous méprenez pas sur le sens de ma question, monsieur le Préfet.

— Oh ! mais, je vous comprends parfaitement. Eh bien, de vous à moi, c'est qu'il a sauvé, l'an dernier, l'actuel ministre de la Santé... Chut !... Les plus grands pontifes l'avaient condamné. Marek a réussi là où les autres avaient renoncé. Vous saisissez, maintenant ? Alors, maniez-le avec précaution. Et tenez bon, hein ?

— Je tiens bon, monsieur le Préfet. »

J'aurais été moins affirmatif, si j'avais su ce qui m'attendait !

Le mercredi soir, donc trente-six heures après l'arrivée du corps de René Myrtil à la clinique, les sept opérés paraissaient tirés d'affaire. Le professeur ne voulait pas afficher trop d'espoir ; mais sa joie, sa fierté, perçaient dans tous ses propos. Il était particulièrement heureux de la greffe réalisée sur Albert Nérisse.

« Sa vie ne tient encore qu'à un brin, m'expliqua-t-il dans son langage bizarre, mais il peut déjà avaler... Il respire normalement... Ses paupières s'ouvrent et se ferment... Il entend... Le rythme cardiaque est bon... Pour les fonctions psychiques proprement dites, il est encore trop tôt. Je ne peux pas me prononcer. Mais je pense que tout ira bien. Je tâtonne encore un peu... C'est la première fois, n'est-ce pas ?

— Vous êtes fatigué ? »

Il tourna vers moi ses yeux jaunes, à l'expression tourmentée.

« Nous sommes tous épuisés. »

Il m'accorda le droit, encore refusé aux familles, de rendre visite aux blessés. Jumauge et Mousseron étaient un peu comateux. D'énormes ampoules de verre, accrochées à des potences, leur distribuaient, par des tubes, un sérum spécial dont Marek me détailla les propriétés, mais je ne lui prêtais qu'une attention distraite. J'étais alarmé, sans l'avouer, par l'état inquiétant des opérés, car les autres ne paraissaient guère plus brillants. Quant à Nérisse, on ne voyait de son visage que les lèvres desséchées et l'extrémité du nez. Tout le reste était bandé et un appareil métallique enfermait la tête et les épaules. Le professeur sentit mes craintes.

« Ils sont abrutis de calmants, dit-il. Ajoutez que l'effet de choc se prolonge assez longtemps. Mais, dans quarante-huit heures, vous les verrez reprendre du poil de l'animal.

— Et si, malgré tout, un accident se produisait ?

— Je ferais l'autopsie — j'ai obtenu cette permission spéciale qu'on ne pouvait pas me refuser — et j'en tirerais les leçons. Les tâtonnements sont inévitables.

— Vous avez tout prévu.

— J'ai l'habitude de tout prévoir.

— Vous avez un personnel nombreux ?

— Nous sommes six chirurgiens, c'est-à-dire les cinq élèves que j'ai formés et moi-même. Et nous avons une dizaine d'aides et d'infirmiers, sans parler du personnel qui s'occupe de la maison, du secrétariat, des bêtes. En tout, cela fait vingt-deux personnes. À ce propos, j'aimerais, s'il y consent, garder Nérisse près de moi, plus tard. C'est facile, puisqu'il n'a pas de famille. Je voudrais étudier de très près son comportement. Il peut y avoir des perturbations secondaires et j'ai l'intention de le soumettre à un contrôle médical permanent.

— Cela paraît raisonnable, dis-je. De mon côté, je vous demanderai l'autorisation de circuler librement partout et de voir les opérés à toute heure.

— C'est entendu. »

Le lendemain, je pris contact avec les familles.

Ainsi que nous en étions convenus, je racontai, aux proches, que les organes avaient été prélevés sur des blessés irrémédiablement condamnés. Aux autres, je ne parlai même pas de la greffe. La presse n'avait consacré qu'un bref entrefilet à l'exécution de Myrtil. Nous étions tranquilles.

Ce fut l'abbé qui supporta le mieux l'opération. Je passais le voir tous les jours. Il était gai et me prit tout de suite en amitié. Moi aussi, je l'aimais bien, mais je me méfiais de ses questions. C'est pourquoi, sans en avoir l'air, je le surveillais de près. Son bras l'intriguait énormément. Il pouvait apercevoir les doigts qui sortaient de la gouttière dans laquelle reposait le membre greffé, et ces doigts le fascinaient.

« C'est curieux, me dit-il, j'aurais pu être amputé et je devrais m'estimer heureux de posséder un nouveau bras. Pourtant, je ressens un malaise. Je ne sais comment expliquer cela... C'est comme si je n'étais pas seul... Ce n'est pas ma main, vous comprenez ?

— Est-ce que vous souffrez ?

— Pas beaucoup.

— Est-ce que vous " sentez " votre bras droit ?

— Il n'y a aucune différence avec le bras gauche, pour le moment. Mais je ne reconnais pas ma main. Quand je me réveille et que je la vois, j'ai toujours un petit sursaut. De l'intérieur, elle est à moi, si vous voulez... Mais de l'extérieur, elle est étrangère. La forme des doigts ne m'est pas familière. Les ongles, surtout... Ce sont les ongles qui m'impressionnent. Et puis, elle est carrée, large, puissante... Je me demande si je vais savoir l'utiliser. Quelquefois, elle me fait penser à un cheval qu'il faudra dresser au manège... »

Ces propos m'inquiétaient. Je détournais la conversation. L'abbé me parlait de sa vie, de ses difficultés dans une paroisse déchristianisée. C'était un de ces solides abbés de choc, tels qu'on les prépare maintenant pour la conquête des banlieues, tondus de près, têtus, avec des yeux naïfs et des rougeurs d'enfant. J'avais beau faire, il revenait toujours à son problème.

« Vous comprenez, monsieur Garric, j'ai accepté sans réfléchir, quand on m'a proposé de me greffer un bras. J'étais dans le cirage. Mais maintenant, je voudrais bien savoir d'où il me vient, ce bras ? Quand on adopte un gosse, on se renseigne sur sa famille.

— Vous conviendrez que ce n'est pas la même chose.

— Mais enfin, on l'a bien pris quelque part ?

— Oui... sur un accidenté, comme vous... mais qui allait mourir. On a voulu faire une expérience. C'est d'ailleurs la raison de ma présence ici. Il y a six autres opérés, dans les chambres voisines. Ils ont été sauvés grâce à des greffes...

— Les bras, eux aussi ?

— Les bras, les jambes... toutes sortes d'organes... Le professeur Marek est le spécialiste de ce genre d'intervention.

— Alors... on a pillé des cadavres, pour nous ? »

Qu'est-ce que je pouvais répondre ? Je m'en tirais par une plaisanterie. C'est bizarre comme ce sujet s'y prête ! Et je continuais ma tournée. Olivier Gaubrey, le peintre, me donnait moins de mal. Il se contentait de geindre.

« Je suis gaucher, monsieur. Qu'est-ce que vous voulez que je fiche d'un bras gauche qui n'est pas le mien ?

— Il s'habituera. »

Je lui allumai une cigarette et le mis sur la peinture. Il en avait gros sur le cœur parce que ses tableaux se vendaient mal. Il s'était spécialisé dans les marines.

« C'est ce qui ressemble le plus au non-figuratif, me disait-il. Des voiles, des maisons, des rochers, vous voyez ce que ça peut donner, si on schématise un peu.

Mais on me reproche d'être trop sain, trop direct. On vend des machins pointus, du barbelé, du totem, du sorcier ! »

J'avais toutes les peines du monde à le calmer. Il ne paraissait pas tellement sain, pourtant, avec sa figure creuse, allongée par quelques poils roux au menton. Il avait des yeux gris perçants, et ressemblait à un pauvre petit christ de la déveine.

Étienne Éramble, c'était le contraire. Très bourgeois, très important. Grosse maison de meubles, faubourg Saint-Antoine. Il ne paraissait pas très affecté par la mort de sa femme et s'inquiétait surtout de savoir s'il marcherait « comme avant ». Il était furieux après Simone Gallart, dont la fausse manœuvre avait provoqué l'accident.

« Quand on a une 404, monsieur Garric, on n'essaie pas de doubler une Rover 2000.

— Plus bas... chut !... Mme Gallart est votre voisine... Elle pourrait entendre...

— Tant pis, je regrette. C'est de leur faute, ce qui est arrivé. D'ailleurs, je demanderai des dommages-intérêts. »

Simone Gallart, elle, ne disait rien. Mal coiffée, sans maquillage, les yeux clos, elle laissait passer les heures et ne s'intéressait à rien.

« Dans un mois, vous pourrez sortir, lui répétais-je. Je vous l'assure. »

Elle faisait semblant de ne pas entendre. Quand elle découvrirait la jambe musculeuse et velue de Myrtil à la place de sa jambe, que deviendrait-elle, la malheureuse ! Quand j'abordais cette question avec Marek, il haussait les épaules.

« Elle aimerait mieux un appareil ? » grommelait-il.

Il n'avait d'yeux que pour Nérisse. Car Nérisse était tout bonnement en train de ressusciter. Il comprenait ce qu'on lui disait, maintenant, et répondait aux questions en baissant d'une certaine manière les paupières.

« Voyez-vous ma main? (Battement de paupières. Oui.) Souffrez-vous? (Pas de réaction. Non.) Avez-vous soif? (Battement de paupières. Oui.) »

Marek passait tout son temps au chevet de Nérisse et couvrait de notes des carnets.

« Ce que je voudrais savoir, me confia-t-il, un soir, c'est s'il a retrouvé la conscience de lui-même, ou bien s'il est encore en pleine purée de pommes...

— De pois, rectifiai-je machinalement. Pourtant, il répond.

— Quand on s'éveille sans être encore capable de s'orienter... vous voyez?... On pourrait répondre à une question et malgré tout on continuerait à ignorer qui l'on est.

— Il est Albert Nérisse.

— Forcément. Mais est-ce qu'il en a conscience? Voilà le problème. Disons qu' " on " pense, dans sa tête. Pour combien de temps, encore? »

Le petit Mousseron avait retrouvé toute sa connaissance, mais il était très faible, et il avait beaucoup maigri. Je voyais bien qu'il se faisait du souci à cause de ses examens. Il préparait son quatrième certificat d'anglais.

Francis Jumauge était peut-être, des sept, le plus curieux. Il vivait seul, dans un pavillon, à Versailles, où il donnait des leçons, et son existence étriquée se reflétait sur toute sa personne, banale et effacée.

Patiemment, je réunissais les pièces de leurs dossiers; j'essayais de mieux connaître leur existence pour être en mesure de répondre aux questions qu'on ne manquerait pas de me poser un jour. On n'imagine pas à quel point il est difficile de pénétrer vraiment dans la vie privée des gens. Pour l'instant, je ne possédais que des renseignements analogues à ceux que livre une enquête de police. J'avais une idée assez précise du caractère d'Éramble. Je commençais à sentir assez bien le peintre et l'étudiant. Le prêtre, bien entendu, était sans mystère. Mais les deux autres demeuraient des inconnus.

L'abbé Leviret semblait faire amitié avec cette main qui l'effrayait. Il commençait à la remuer. Les doigts lui obéissaient bien. Et même il consentait à reconnaître qu'il y avait une vigueur dans ce bras à laquelle il n'était pas habitué.

« Cependant, je crois que je porterai le plus souvent un gant, me dit-il. Je n'arrive pas et je n'arriverai sans doute jamais à me persuader que c'est ma main. Un bon outil, d'accord. Mais rien de plus.

— Vous ne serez pas gêné, pour célébrer la messe ?

— Peut-être aurai-je besoin d'une autorisation spéciale ? Je ne pense pas que le cas se soit déjà présenté... Cela risque de soulever des problèmes d'ordre canonique. »

Nérisse, pendant ce temps, continuait de faire des progrès et nous eûmes bientôt la preuve qu'il se connaissait. Par exemple, il refusait obstinément d'avaler du lait. Dès qu'un peu de lait lui entrait dans la bouche il le recrachait.

« Vous devriez enquêter, me suggéra Marek. Il ne vous sera pas difficile de retrouver ses fournisseurs ou le restaurant où il prenait ses repas. »

Je n'eus qu'à questionner sa logeuse. Elle lui préparait, chaque matin, son petit déjeuner. J'appris d'elle que Nérisse, qui souffrait du foie, avait le lait en horreur. Au contraire, Myrtil adorait les laitages et, la veille de son exécution, il avait mangé des œufs au lait. Donc, plus de doute c'était Nérisse qui reparaissait peu à peu tout entier. Plusieurs petits faits achevèrent de nous en convaincre : d'abord, d'un mouvement machinal, Nérisse commença à porter sa main à ses joues ; ce fut Marek qui interpréta le premier la signification de ce geste.

« Il cherche sa barbe », dit-il.

En effet, Nérisse était barbu, alors que Myrtil était glabre. Mais surtout, dès qu'il put articuler quelques mots, il chuchota, distinctement, à plusieurs reprises : « ... Banque... prévenir... » Bien entendu, j'avais fait le nécessaire de ce côté-là. J'avais laissé entendre à son directeur que Nérisse était entré dans une maison de repos et qu'il en avait pour très longtemps. Quand un haut fonctionnaire de la police parle ainsi, à mots couverts, et d'un air mystérieux, les gens n'ont pas l'habitude d'insister. Ils supposent le pire et se taisent. J'avais cependant appris, à cette occasion, que Nérisse était un employé modèle, d'une conscience et d'une honnêteté poussées jusqu'à la manie. L'opération ne l'avait donc pas changé. Revenant à la vie, après une épreuve absolument extraordinaire, sa première crainte était d'encourir un reproche. Nous étions émus ; et en même temps nous ne pûmes nous empêcher de sourire. C'était la bouche de Myrtil qui prononçait ces mots : banque... prévenir... alors que Myrtil avait été le spécialiste du hold-up ! J'eus l'impression que Myrtil venait de mourir pour la seconde fois.

Nos opérés guérissaient à vue d'œil. À chacun d'eux, quand il fut en état de m'entendre, j'appris ce qui s'était passé... l'expérience tentée *in extremis*... les membres ou les organes prélevés sur des accidentés qui allaient mourir... et personne ne protesta. Que dis-je ? Personne ne s'étonna. Ils étaient trop heureux de se retrouver entiers. Le miracle de la greffe ne les surprenait pas ; ils avaient tous entendu parler d'organes greffés, savaient que cette pratique était sur le point de devenir courante et tiraient plutôt une grande satisfaction d'amour-propre d'avoir été choisis. Seule, évidemment, Simone Gallart ne fut pas enchantée de posséder une jambe d'homme. Mais elle ne réagit pas avec la violence que je redoutais. Ce qui l'ennuyait le plus, ce n'était pas que cette jambe fût masculine, mais qu'elle fût poilue. Cependant, toute à son deuil, elle parut oublier cette légère disgrâce.

Bientôt, les moins éclopés se levèrent, se rencontrèrent, s'invitèrent, se rendirent des politesses. Étienne Éramble alla, en dépit de ses propos, saluer Simone Gallart et fut très impressionné par la dignité de la veuve. Il lui fit porter des fleurs. L'abbé avait sur tous une excellente influence. Éramble le trouvait réconfortant ; Gaubrey l'entretenait de sa peinture. Seul, Jumauge, dont j'ai volontairement laissé jusqu'à présent le cas dans l'ombre, se tenait un peu à l'écart. Il paraissait triste et ne se livrait pas. Quant à Nérisse, il ne recevait encore aucune visite, car il se fatiguait vite, mais il était désormais capable de suivre une conversation. Je lui apportais des cigarettes ; c'était sa passion, le tabac. Quand il avait manifesté le désir de fumer, nous avions profité de l'occasion pour tenter un nouveau test, qui fut aussi concluant que les précédents. Myrtil fumait toujours des cigarettes américaines et Nérisse, des gauloises (nous en avions trouvé un paquet dans ses poches). Nous présentâmes à Nérisse des cigarettes de différentes marques ; sans hésiter, il prit le paquet de gauloises.

« Ce qui démontre bien, me dit le professeur, que l'unité de l'être humain tient surtout à ses glandes, à sa moelle, à ses hormones, à ce qui, en lui, est le principe d'un renouvellement continu des cellules. La tête ne joue aucun rôle privilégié. C'est le sang qui est le dépositaire de nos habitudes, de nos penchants, de nos désirs. »

Cette théorie, que je n'étais pas loin d'admettre, fut

brutalement infirmée le lendemain. Comme j'entrais chez l'abbé pour lui demander s'il ne pourrait pas pousser un peu Jumauge aux confidences, je le vis extrêmement soucieux.

« Donnez-moi votre parole, me dit-il, que vous allez me répondre franchement. De qui me vient ce bras ? »

J'essayai de cacher mon trouble. J'avais espéré que cette question ne serait plus jamais abordée. Hélas !...

« Vous le savez bien, dis-je. Il a été prélevé sur un homme qui venait d'avoir un accident...

— Vous avez vu mon bras ?

— Non... Je suis arrivé ici alors que toutes les opérations étaient terminées. Mon rôle, je vous l'ai déjà expliqué, se borne à étudier les suites de cette expérience, toutes les suites, aussi bien morales que physiques.

— Justement... Eh bien, ce bras est tatoué. »

Le mot me tomba dessus comme une pierre. Comment ! Personne ne s'était donc soucié... Quelle imprudence ! On devait bien pourtant se douter que... Mille idées s'entrechoquaient dans ma tête. On avait pensé à tout, on avait tout prévu... sauf ça !

« Un beau tatouage, reprit l'abbé. Il représente un cœur. »

Je repris espoir.

« Un cœur, murmurai-je, mais... ce n'est pas mal, un cœur... Les jeunes dont vous vous occupez... cela devrait leur plaire... C'est viril. Et en même temps cela peut prendre un sens mystique.

— Malheureusement, il n'y a pas que le cœur.

— Je vois. Il y a aussi une flèche.

— Et une inscription : *Lulu.* »

Tout était perdu. L'abbé me regardait droit dans les yeux. Je ne pouvais pas mentir.

« Le professeur est allé au plus pressé, dis-je. D'un

côté, il y avait les mourants, de l'autre, ceux qui avaient une chance de résister à l'opération.

— Cet homme... Qui était-ce ?

— Il est mort... Alors, quelle importance ?

— Ce n'est pas seulement de la curiosité, monsieur Garric... Voyez-vous, il arrive quelque chose de bizarre. Quand je suis surpris par un bruit... quand on ouvre une porte brusquement... ou bien quand j'entends marcher derrière moi... ma nouvelle main saute, il n'y a pas d'autre mot, saute à ma poitrine, fouille sous ma veste. C'est une sorte de réflexe, mais d'une rapidité terrifiante... Et je me demande maintenant... si elle ne cherche pas une arme... Vous voyez ?... Vous ne répondez pas... J'ai pourtant le droit de savoir...

— Soit, dis-je. L'homme n'était pas très recommandable. Mais il a eu une mort très édifiante. Il s'est repenti, sincèrement. Il a donné son corps. Que vous faut-il de plus ?... Croyez-moi, sa main n'est pas animée de mauvaises intentions.

— Non, bien sûr, dit l'abbé. D'ailleurs, elle m'obéit bien... le bras aussi... Mais avouez qu'il y a de quoi être préoccupé. Si, dans l'exercice de mon ministère, il m'arrive de faire, malgré moi, certains gestes...

— Je vais en parler au professeur, dis-je. Nous allons aviser. »

Marek ne fut pas tellement surpris.

« Simple mémoire musculaire, observa-t-il. Le phénomène ira en s'atténuant rapidement. Vous pouvez le rassurer. Pendant un mois ou deux, nous aurons peut-être, chez l'un ou chez l'autre, de petits troubles d'assimilation. Mais rien de grave.

— Pourtant, Nérisse... quand il se verra dans un miroir ?

— J'y ai pensé, fit le professeur sèchement. Je lui

dirai qu'il a une nouvelle tête. Il faudra bien qu'il s'habitue. »

Je ne demandais qu'à espérer. Cependant, je me méfiais encore un peu. J'avais bien raison. Nos convalescents commençaient à sortir, dans le jardin. Ils s'étendaient au soleil, bavardaient, faisaient la sieste. Le sujet de leurs conversations était toujours le même : l'opération qu'ils avaient subie. Chacun racontait aux autres ce qu'il ressentait, supputait les conséquences de sa greffe... le peintre continuait à se désoler. Éramble critiquait le choix de sa jambe, la trouvait un peu vulgaire... Mousseron, au contraire, se félicitait d'avoir un cœur neuf, un souffle inépuisable... il estimait qu'il avait gagné au change... Il n'y avait que Jumauge qui restait obstinément silencieux. Et puis, quand leurs derniers pansements furent enlevés, ils examinèrent leurs cicatrices, les comparèrent et Gaubrey, toujours en quête d'un motif de mécontentement, découvrit qu'il portait au bras une trace bizarre. C'était une longue ligne blanche, légèrement boursouflée, qui partait du biceps pour s'arrêter à la saignée. Il n'était pas difficile de voir qu'il s'agissait là d'une cicatrice ancienne, sans rapport aucun avec l'opération... Les autres s'examinèrent à leur tour et Éramble repéra, sur son mollet, une dépression rosâtre, une sorte de petit entonnoir, en pleine chair, auquel correspondait, plus bas, à la face externe de la jambe, une surface de peau tuméfiée, où le poil ne poussait plus.

« Ma parole, dit-il. C'est une trace de balle... Et vous aussi, mon cher Gaubrey, votre bras a été blessé autrefois... Voilà les membres qu'on a osé nous recoller ! »

Je n'étais pas présent quand cette scène eut lieu. Elle me fut rapportée par l'abbé Leviret.

« Ce fut alors que Jumauge intervint, me dit-il. Et

savez-vous ce qu'il fit?... Il se mit à compter sur ses doigts : un bras gauche, un bras droit, une jambe gauche, une jambe droite, une poitrine, un ventre... Il ne manque qu'une tête pour avoir un homme complet. »

L'abbé remarqua mon désarroi. Il me fit asseoir près de lui.

« La tête?... ajouta-t-il. C'est Nérisse?

— Oui.

— Je m'en doutais. Ainsi, le professeur Marek a inventé les procédés qui permettent...

— Oui. »

L'abbé enferma sa main droite dans sa main gauche. Il s'excusa :

« C'est pour être tranquille quand je réfléchis. Je crois que je commence à comprendre. C'est le même homme, n'est-ce pas?

— Oui.

— Trace de couteau sur un bras, tatouage à l'autre, cicatrice de balle à une jambe... Vous m'avez dit qu'il n'était pas recommandable. Je pense que c'était un gangster? »

J'opinai. Je n'avais plus la force de parler.

« Et vous prétendez qu'il s'est repenti?

— Oui, au moment de mourir.

— Ah! Tout s'éclaire. Il a été... »

Il passa le doigt sur son cou.

« Monsieur l'Abbé, dis-je, vous me jurez de garder le silence? Je vais tout vous expliquer. »

Je lui racontai les événements des derniers jours, la fin édifiante de René Myrtil, l'expérience tentée par le professeur Marek, les perspectives grandioses qu'elle ouvrait à la chirurgie. L'abbé avait l'esprit vif et les idées larges. Il fut très intéressé par mes révélations et commença à regarder sa main droite avec indulgence.

J'insistai bien sur le fait que Myrtil n'avait jamais été un bandit crapuleux, mais plutôt un égaré.

« Si nos amis découvrent, à leur tour, la vérité, déclarai-je enfin, ils ne seront pas fâchés d'apprendre que Myrtil a été, en somme, le meilleur condamné possible.

— Ils la découvriront, dit l'abbé. C'est fatal.

— Dans ce cas, vous pourriez peut-être les préparer, monsieur l'Abbé... Adoucir le choc.

— Vous avez la photographie de Myrtil ?

— Mais... mais voyons... Monsieur l'Abbé... Myrtil est ici... Nérisse a sa tête, et chacun de vous...

— C'est vrai, murmura l'abbé, très troublé. On n'arrive pas à penser cela. Myrtil est parmi nous, en sept personnes... Mon Dieu, il me semble que je blasphème... ou plutôt c'est le langage qui nous trahit, n'est-ce pas ? Myrtil est mort. Ça, c'est la vérité qu'il faut solidement tenir, d'abord... Ensuite, il faut admettre que son corps nous appartient... »

Il fit jouer sa main droite.

« C'est bien ma main droite puisqu'elle m'obéit. Pourtant, quand elle prend peur...

— Le professeur m'a affirmé que c'était là un simple trouble d'assimilation... »

Je lui parlai des théories de Marek sur les rapports du sang et de la personnalité. Il hochait la tête d'un air de doute.

« Moi, je veux bien, fit-il... La science a peut-être raison. Mais ce que j'ai appris au séminaire sur l'union de l'âme et du corps ne s'accorde guère avec de telles opinions. En conscience je devrais consulter mon confesseur.

— Surtout, n'en faites rien ! Attendez un peu, monsieur l'Abbé. Il ne s'agit que d'une expérience dont nous observons les effets. Pour le moment, reconnaissez qu'ils sont plutôt bénéfiques.

— C'est exact. Et je pense que nous ne devons pas avoir l'air de cacher quelque chose, de donner à cette expérience un caractère inavouable. Je vais parler à nos amis.

— Non ! Pas de conférence !... Si le professeur est d'accord, nous les verrons les uns après les autres. »

Nous commençâmes par le plus agité : Étienne Éramble. Sa réaction fut tout à fait imprévue : il éclata de rire.

« Eh bien, s'écria-t-il, j'aime mieux cela. Au moins, c'est original. Si la chose est un jour rendue publique, quel succès auprès de mes amis !... Dites donc, il n'avait pas tué père et mère, votre bonhomme ?... Bon ! Un condamné à mort, ça a tout de même de l'allure ! Ce qui me mettait hors de moi, c'était de me dire qu'on m'avait greffé la jambe de n'importe qui, au petit bonheur... Mais alors, Simone... pardon, Mme Gallart, sa jambe, c'est mon autre jambe... Ou plutôt... nos deux jambes font la paire, quoi ! »

Nous le laissâmes plongé dans une aride méditation. Mme Gallart nous étonna.

« Ce n'est que provisoire, nous dit-elle. Puisqu'on m'a si facilement greffé une jambe qui ne me convient pas, j'espère qu'à la prochaine occasion, on me l'enlèvera pour la remplacer par une autre mieux adaptée. »

L'abbé soupira.

« Ils sont d'un égoïsme ! » chuchota-t-il.

Gaubrey ne trouva qu'une chose à reprocher à Myrtil : qu'il ne fût pas gaucher. Mousseron fut très fier d'avoir hérité le cœur et les poumons de Myrtil.

« Le cœur, c'était mon point faible, avoua-t-il. Maintenant, je vais pouvoir faire du sport et me perfectionner dans le saxophone. Avant, j'étais tout le temps fatigué ! »

Pour Nérisse, nous prîmes beaucoup de précautions. Il nous arrêta :

« Je savais, dit-il. Dès que je me suis vu dans une glace, je me suis reconnu ! On avait communiqué sa photo au personnel, dans les banques. Pendant des mois, je l'ai regardée chaque jour, en prenant mon service, pour pouvoir identifier Myrtil, s'il se présentait chez nous. Et puis, il y a cette plaie circulaire, que je porte au cou. C'est révélateur non ?

— Alors, qu'est-ce que vous ressentez ?

— J'essaie de m'habituer. C'est dur. »

Jumauge nous écouta, répondit d'une manière évasive à nos questions. Myrtil ne l'intéressait pas du tout.

« Mais enfin, dis-je, vous éprouvez bien quelque chose ?

— Oui... Je rêve... Je rêve énormément... Je fais des rêves épouvantables.

— Quels rêves ? »

Il sursauta.

« Non, cria-t-il, non... Ce ne serait pas convenable... Je suis en enfer... avec les luxurieux ! »

Nous échangeâmes un regard, l'abbé et moi.

« Il aurait peut-être mieux valu le laisser mourir », me glissa l'abbé.

L'abbé Leviret devint très vite, pour moi, un collaborateur. Il comprit parfaitement la nature de ma mission, et fit tous ses efforts pour me seconder. À mesure que s'avançait la convalescence des sept blessés, il m'était de jour en jour plus difficile de passer tout mon temps à la clinique. Ma présence n'aurait pas tardé à les lasser. L'abbé, au contraire, pouvait se permettre de les interroger, de recueillir leurs confidences ; il était toujours bien reçu. Nous confrontions, ensuite, nos impressions et je constituais un dossier sur chaque cas, me réservant d'écrire un livre, beaucoup plus tard, si l'expérience tournait favorablement et était, de ce fait, rendue publique. Quant au bulletin de santé quotidien, il était rédigé par le professeur et je l'expédiais moi-même à M. Andreotti. Il était toujours très concis et plein d'optimisme. Il est vrai que les progrès de nos opérés étaient surprenants. Éramble et Mme Gallart s'aidaient encore d'une canne mais, dans quelques jours, ils seraient en état de reprendre leurs occupations. Gaubrey se débrouillait assez bien avec son nouveau bras mais ses habitudes de gaucher le gênaient considérablement. Il avait fait un essai, avec ses pinceaux, et le résultat avait été désastreux. Mousseron était gaillard et se remettait déjà à la culture physique. Jumauge lui-même, en dépit de ses humeurs sombres, se portait bien. Il dévorait. Marek devait le rationner et s'inquiétait un peu de cette boulimie, qui confirmait, d'ailleurs, ses théories, puisqu'il prétendait que les parties du corps les plus autonomes, en quelque sorte, les plus indépendantes, étaient celles qui étaient chargées des fonctions végétatives. Myrtil avait été un gros mangeur. Jumauge montrait les mêmes dispositions, mais les contrôlait mal, parce qu'il avait souffert, toute sa vie, de l'estomac; si bien que, malgré lui, l'étonnement, la joie de digérer sans douleur le poussaient à des excès, dont il rougissait. Il avait de furieuses envies de cassoulet, de boudin, d'escargots de Bourgogne et se faisait apporter, par l'abbé, qui avait la permission de sortir, du cognac et de la framboise. L'abbé avait tout d'abord refusé. J'avais insisté pour qu'il fît ce petit plaisir à Jumauge, pensant que celui-ci, dans la chaleur d'une digestion heureuse, se laisserait peut-être aller à parler de lui. Mais il demeurait aussi taciturne et fermé. Je m'étais renseigné sur lui et j'avais obtenu, non sans mal, quelques éclaircissements. Jumauge dirigeait un petit cours privé, à Versailles, le Cours Érasme. Il préparait à tout : baccaulauréat, postes, finances, C.A.P., de toutes catégories, et donnait même des leçons de dessin et de diction. Il avait été lauréat d'obscures académies de province et vendait ses œuvres à ses meilleurs élèves : *Les Cœurs enchantés, La Couronne des nuits, Brandons*... Il vivait seul, mais il sortait parfois avec une femme, nettement plus âgée que lui, qui était pianiste. Elle s'appelait Nadine Mestreau et je me promis de lui rendre visite plus tard.

C'était surtout Nérisse qui retenait mon attention. Nérisse était maintenant assez fort pour marcher seul.

Il portait toujours la tête raide et parlait d'une voix rauque, enrouée et sifflante. Le professeur n'était pas tout à fait satisfait de son œuvre. Chose curieuse : alors qu'il craignait des complications du côté de la moelle épinière, c'étaient les cordes vocales qui avaient été les plus lésées. Mais Nérisse se sentait bien et paraissait très heureux de survivre. Il s'était laissé pousser la barbe, ce qui le réconciliait un peu avec le visage de Myrtil. Évidemment, il n'était pas encore bien remis de sa première surprise. Lui qui était presque chauve, avant l'accident, il avait de la peine, maintenant, à se peigner. Il se coupait, quand il se rasait, parce qu'il ne reconnaissait pas ses joues d'autrefois, les rides familières, la forme des mâchoires. Et puis la barbe poussait trop vite, avait tendance à envahir tout le visage. Il était habitué à entretenir un mince collier, qu'il jugeait distingué, et il lui fallait lutter contre une broussaille drue, un poil de chemineau. Cela le contrariait beaucoup, car ses manies étaient restées intactes. Il souffrait aussi d'avoir perdu une partie de sa mémoire des chiffres.

« Ce qui me gêne le plus, disait-il, c'est que, si j'essaie de faire une addition, je trouve toujours des dollars... Pourquoi des dollars ?... Quand je reprendrai mon travail, jamais je ne m'en sortirai... Mais est-ce que je reprendrai jamais mon travail ?... »

L'abbé et moi lui fîmes peu à peu comprendre qu'il aurait intérêt à s'installer à la clinique. Le professeur avait besoin de quelqu'un de sérieux, pour aider son comptable. Il était exactement l'homme qu'il fallait. En outre, il recevrait plus facilement les soins que son état nécessiterait encore longtemps. Il ne nous opposa pas beaucoup de résistance. Il ne tenait pas à promener un visage qui risquait d'être reconnu et puisque Marek consentait à le garder, au fond, son existence ne serait guère changée.

« À condition, précisa-t-il, qu'on me laisse aller au cinéma, le dimanche. »

Et il nous confia qu'il avait un faible pour les westerns. Les Indiens, la diligence, les chevauchées et les coups de revolver, il adorait cela ! Pauvre Nérisse ! C'était sa revanche !

« Et puis, vous deviendrez le président de notre Amicale ! »

L'abbé avait jeté cette phrase par jeu, sans intention bien arrêtée. Mais à la même seconde, l'idée nous parut magnifique. Bien sûr, il convenait de créer une Amicale, de resserrer les liens entre ces sept victimes d'un mauvais hasard.

« C'est même un devoir, dit Nérisse, puisque les septs parties du même homme vivent en nous.

— C'est juste, reconnut l'abbé. Si nous nous séparions, il serait pour ainsi dire écartelé. Au contraire, dès que nous nous réunirons, il sera là, symboliquement reconstitué. Il n'y a pas d'autre manière de lui témoigner notre reconnaissance puisqu'il en est digne. »

L'abbé organisa donc une réunion préparatoire et le projet fut accepté à l'unanimité. L'Amicale se réunirait une fois par mois, à la clinique. Le professeur, saisi du projet, mit une salle du premier à la disposition du groupe. Déposerait-on des statuts ? C'était difficile. Ou, du moins, il était nécessaire de cacher les véritables raisons de l'association, car elles ne pouvaient pas être reconnues par la loi. Mais nous avions parfaitement le droit de fonder un club et de nous donner un règlement de notre choix.

« Le Club des ressuscités ? » proposa Éramble.

Pourquoi pas ? Nous dînerions ensemble. Nous aurions ainsi l'occasion de bavarder, d'échanger des nouvelles.

« Auparavant, dit l'abbé, si vous êtes d'accord,

nous pourrions aussi célébrer une messe pour le repos de l'âme de Myrtil. »

La messe allait de soi.

Simone Gallart aurait voulu que les membres de l'Amicale portent un insigne, quelque chose de discret mais d'évocateur, comme le petit barbelé des anciens prisonniers.

« N'oubliez pas, dit-elle, que notre association est appelée à se développer. Nous avons la preuve, maintenant, que la greffe est aussi facile à réaliser qu'autrefois l'ablation de l'appendice. Par conséquent, dans un proche avenir, il y aura de plus en plus de gens semblables à nous. »

Là-dessus s'engagea une vive discussion. Nérisse n'était pas du tout de cet avis. D'après lui, ce qui faisait l'originalité du groupe, c'était le donneur, qui avait été utilisé intégralement.

« Quand nous sommes sept, nous sommes huit, fit-il remarquer fort opportunément. Il faudra peut-être attendre très longtemps avant que pareil fait ne se renouvelle. »

C'était l'évidence. La proposition de Simone Gallart fut écartée et l'on vota pour désigner le bureau. La présidence échut à l'abbé, qui avait l'habitude d'animer des réunions et Nérisse fut élu vice-président-trésorier par six voix et une abstention. Je fus désigné comme secrétaire. La cotisation fut fixée à vingt francs par mois. Jumauge, qui regrettait visiblement de n'avoir pas été choisi comme vice-président, suggéra qu'il ne serait pas mauvais de créer un bulletin de liaison.

« Bonne idée, fit l'abbé, toujours charitable. Et nul ne paraît plus qualifié que vous... »

Jumauge protesta, se laissa prier et enfin convint qu'il avait certaines des qualités requises. En outre, il possédait un duplicateur, ce qui réglait la question.

La première réunion se tiendrait le dimanche suivant, puisque le professeur avait décidé que ses convalescents pourraient quitter la clinique ce jour-là. C'est pourquoi le dimanche, à dix heures, nous nous trouvâmes tous réunis dans la grande salle du premier. L'abbé avait transformé en autel une longue table d'examen. J'avais apporté des fleurs. Les infirmiers s'étaient occupés de la décoration. Tout le personnel avait tenu à se joindre à nous et la cérémonie, très simple, eut cependant grande allure. L'abbé prit la parole, sobrement, car, avec ses gars de banlieue, il n'avait pas l'habitude de mâcher ses mots.

« Myrtil était un pécheur, dit-il, mais Barrabas aussi. Le Seigneur ne se refuse à personne et se sert toujours du mal en vue d'un plus grand bien. Myrtil, nous le savons, s'est repenti. Il a désiré la mort, de toutes ses forces, pour offrir à d'innocentes victimes son corps plein de vie ; si nous savons nous aimer comme il nous a aimés lui-même, sans nous connaître, alors non seulement nous lui payerons notre dette, mais encore nous lui rendrons une sorte de vie éphémère et mystérieuse, qui dépasse notre entendement mais n'en est pas moins réelle. Par la science et l'amour, Myrtil mort est encore parmi nous. Cette main droite, qui a tué, elle va cependant vous bénir. Elle est maintenant pacifiée. À vous de faire du corps de Myrtil un serviteur fidèle. Qu'il ne vous effraie point. Il a connu les affres du supplice. Il est maintenant pardonné. Veillons sur lui, tous ensemble. *Amen.* »

Après la messe, les collaborateurs de Marek se retirèrent et nous achevâmes de préparer la table du banquet. Il y avait dix couverts.

« Nous ne sommes que neuf, observa Nérisse.

— Non, dit l'abbé. Nous sept, le professeur, M. Garric... et Myrtil, cela fait bien dix. À chacune de nos réunions, je pense qu'il faut réserver une place à celui qui n'est pas tout à fait absent...

— Vous ne trouvez pas qu'on exagère un peu ! me chuchota Simone Gallart, tandis que je l'aidais à fleurir la table. Ces petits curés d'aujourd'hui, ils ont un faible pour les truands. Bientôt, l'abbé va faire de Myrtil le Christ de la greffe ! S'il est content de sa main, tant mieux pour lui.

— Mais vous... dis-je, ça ne va pas ?... Je croyais que...

— Si, bien sûr. Je marche, vous le voyez... Mais c'est un supplice. »

Surpris, je l'entraînai vers le fond de la pièce.

« Je vous en prie. Ne me cachez rien. Vous avez mal ?

— Non. Je ne souffre pas. De ce côté-là, je reconnais que c'est un miracle. Seulement, je n'arrive pas à m'habituer... »

Elle rougit.

« Je suis là pour vous entendre, murmurai-je. Qu'y a-t-il encore ?

— Je ne sais pas comment vous expliquer. C'est comme si j'avais adopté une bête. Je la sens, le long de mon autre jambe. Elle est grosse, vous comprenez ? Elle frotte. Le poil me chatouille. Excusez-moi. Tout cela est tellement choquant !

— Mais non, je vous assure. C'est bien naturel, au contraire. Continuez.

— Je ne pense plus qu'à cette jambe. Quand je suis seule, je ne peux pas m'empêcher de la regarder, de la toucher... Je crois que je l'aime mieux que l'autre... Et cela me révolte. Voyez-vous : j'étais une femme terriblement indépendante, avant. C'est pourquoi... avec mon mari... les choses n'allaient pas toujours très bien... Vous comprenez ?... Bon. Il est mort, le pauvre, ne remuons plus le passé... Maintenant, cette jambe... Je la hais. Et pourtant, je tiens à elle. Est-ce que je peux vraiment aller jusqu'au bout ? Vous ne m'en voudrez pas ?

— Allez-y ! Vous devez parler !

— Eh bien, je l'ai dans la peau. Je me sens violée par elle.

— Mais il faut prévenir le professeur. »

Elle me serra le bras avec violence.

« Non. Je vous le défends.

— Il fera quelque chose...

— Vous ai-je dit que c'était insupportable ?... C'est une curieuse expérience, voilà tout. Je ne dramatise pas, vous savez.

— Vous feriez mieux de m'aider », cria Éramble qui passait, portant une pile d'assiettes.

Simone Gallart me quitta. Je la suivis des yeux. Elle marchait encore avec une imperceptible raideur, mais sa silhouette demeurait élégante et elle avait conservé le doux balancement des hanches d'une femme normale.

« Le pantalon ne lui va pas ; vous êtes bien de mon avis ? »

C'était Éramble qui revenait. Il m'offrit une cigarette et se pencha vers moi.

« De vous à moi, comment prend-elle ça ?

— Mal, dis-je. Et vous ?

— Je ne me plains pas... Ce qui est amusant, c'est que, dès que j'aperçois quelque chose par terre, une boulette de papier, un morceau d'ouate, j'ai envie de donner un coup de pied dedans par jeu, comme les gosses. Je vous assure qu'avant ça ne m'arrivait pas. Et elle ? Qu'est-ce qu'elle ressent ? Elle n'est pas bavarde, hein ?... J'ai déjà essayé de la faire parler, mais je n'ai pas eu beaucoup de succès... Quel dommage ! Une si jolie femme ! »

Je l'observais du coin de l'œil. L'idée me vint, qu'à eux deux... Non, j'étais absurde.

« Il paraît, dis-je, qu'elle est riche.

— Ce n'est pas le mot, fit Éramble, je me suis renseigné et... »

Il se reprit aussitôt.

« Renseigné, non... pourquoi me serais-je renseigné !

— Il n'y aurait aucun mal.

— Non, bien sûr. Après tout, elle a bien ce qu'il faut pour éveiller l'intérêt... Surtout le mien ! »

Il surprit mon regard, et me poussa vers la fenêtre.

« Il faut que je m'explique, dit-il. Avec l'abbé, je me sens gêné. Avec vous, ce n'est pas la même chose... C'est cette jambe qui me joue des tours. Je ne peux pas m'empêcher de penser qu'elle a la même. Alors... c'est ridicule, c'est idiot, tout ce que vous voudrez... mais c'est plus fort que moi... il me semble que j'ai une sorte de droit sur elle... J'ai envie de lui demander comment se porte ma jambe gauche, si elle en est contente, exactement comme si je lui avais cédé une partie de moi-même, par pure complaisance.

— Vous vous substituez à Myrtil, si je comprends bien.

— Non. Ce n'est pas exactement cela. C'est même plutôt le contraire. Je veux dire que la jambe de Myrtil est devenue ma vraie jambe, celle en laquelle je me sens le mieux. C'est l'autre, la gauche, qui ne m'est plus rien. Je l'ai répudiée. Elle m'ennuie. Elle est triste. Elle n'a pas l'entrain de la droite, ses... gamineries. Et j'ai la nostalgie de l'autre, celle... de Mme Gallart. Je la regrette... Pourquoi ne me l'a-t-on pas greffée aussi, hein, pendant qu'on y était ?... Est-ce humain de séparer deux jambes ? Mme Gallart est malheureuse d'avoir cette jambe et moi je suis malheureux d'en être privé. Ah ! Myrtil avait bien de la chance ! Vous sentiriez ces muscles, surtout ceux de la cuisse !... Ils sont durs et souples... et la ligne du mollet, une merveille, mon cher... L'autre jambe, à côté, ce n'est qu'une guibolle, un échalas, sans caractère, un membre adipeux et flasque, gâté par l'abus de l'automobile. Vous croyez que je regarde Mme Gallart comme un homme regarde une femme qui lui plaît ? Pas du tout !... C'est ma vraie jambe gauche en exil, que je regarde. Et je suis reconnaissant à Simone de la traiter gentiment, de ne pas parler d'elle avec méchanceté. Je devrais être joyeux, aujourd'hui, n'est-ce pas, puisque nous allons quitter cette clinique ! Eh bien, justement, j'ai du chagrin, parce que chacun va s'en aller de son côté... Mme Gallart rentrera chez elle et moi, ce soir, quand je masserai ma jambe, avant de me coucher, comme le veut le docteur, je me dirai : " Et l'autre ?... Reçoit-elle bien les mêmes soins ? Est-elle entretenue avec assez d'attention ? Ne va-t-elle pas dépérir ? " Comment faire, mon Dieu, comment faire ?

— Épousez-la !

— Quoi ?

— Je vous demande pardon, dis-je. Sincèrement, le mot m'a échappé.

— Oh ! Je ne vous en veux pas... J'y ai déjà pensé... Nous reparlerons de tout cela plus tard. »

L'abbé frappait dans ses mains, pour nous réunir. Il nous indiqua nos places autour de la table. La place d'honneur lui revint. À sa droite, le vice-président Nérisse s'assit. Jumauge s'installa à sa gauche. En face de lui, à l'autre bout de la table, il y avait la place du mort. J'affectai une insouciante bonne humeur en choisissant la droite de Myrtil ; ce couvert, cette chaise vide impressionnaient désagréablement les convives. Mais, très vite, la conversation s'anima. Le repas était excellent ; le soleil entrait à flots. Les propos devinrent de plus en plus enjoués. On plaisanta l'appétit de Jumauge sans que celui-ci prît la mouche. On oubliait presque le visage de Nérisse et pourtant!... C'étaient les yeux de Myrtil qui vivaient et se posaient sur nous. Quand on les rencontrait, tout de suite on regardait ailleurs. Il était presque impossible de les fixer sans éprouver un malaise intolérable, comme si l'on eût croisé le regard d'un mort.

Mousseron dit, tout à coup, étourdiment :

« Où a-t-on enterré Myrtil?... Oh! pardon! »

Et comme les autres le considéraient avec quelque sévérité :

« Je veux dire, rectifia-t-il, où l'aurait-on enterré si... les choses s'étaient passées autrement.

— Au cimetière de Thiais..., dis-je. Il y a, là-bas, ce qu'on appelle " le carré des suppliciés ". Ne m'en demandez pas plus. Je ne connais pas l'endroit et j'espère bien que je n'aurai jamais à y aller.

— Les croix portent les noms des condamnés? demanda l'abbé, inquiet.

— Il n'y a pas de croix, monsieur l'Abbé. Il n'y a pas de pierres tombales. Il n'y a que de simples tertres. »

Mes paroles jetèrent un froid.

« Il est mieux ici... avec nous, ricana le peintre, qui avait un peu bu.

— Mais, continua l'abbé, est-ce qu'il est interdit de leur donner une sépulture plus décente?

— Non, les familles ont le droit, après un certain délai, de faire enterrer les corps où bon leur semble.

— Pour Myrtil, la question ne se pose pas, heureusement! »

C'était Nérisse qui venait de parler, avec la bouche de Myrtil et il souriait, maintenant, avec le sourire de Myrtil! Mousseron toussa dans sa serviette, me toucha le coude et me souffla :

« On ne pourrait pas le laisser dans sa chambre, les autres fois ? Ou lui conseiller de se taire. Moi, sa voix me rend malade. »

Marek fit signe qu'il avait quelque chose à dire. Il voulait seulement rappeler à ses opérés qu'ils ne devaient pas encore quitter Paris ou les environs immédiats sans autorisation. Pendant des mois encore, ils devraient subir une visite hebdomadaire et, à la moindre alerte, regagner la clinique pour y être mis en observation. S'ils remarquaient, dans leur comportement, quelque chose d'insolite, ils n'avaient qu'à me prévenir immédiatement. Simone Gallart me sourit, d'un air complice, et leva son verre à la santé du professeur, imitée aussitôt par Éramble, qui n'avait cessé de lui parler à l'oreille pendant tout le repas. Le brouhaha augmentait. Mousseron proposa de jouer du saxophone. Il ne manquait pas d'un certain talent dont tout le monde lui fit compliment, puis une confuse controverse, mit aux prises Nérisse et Jumauge et, pendant ce temps, Mousseron me confia qu'il comptait se remettre sérieusement à la musique ; depuis l'opération, il se sentait un souffle inépuisable. Or, m'expliqua-t-il, le son est d'abord une affaire de souffle. Avec une très belle sonorité, on est presque sûr d'enregistrer un disque... et, à partir de là, tout est possible !

« Mais... vos études ? objectai-je.

— Aucune difficulté. Les études dans la journée et le saxo, le soir.

— Vous allez vous tuer !

— Pas avec ce que j'ai là-dedans ! » dit-il, en se frappant la poitrine.

Il remplit son verre et le vida d'un trait. Je remarquai qu'ils étaient tous excités, comme si, après les menaces qui avaient pesé sur eux, ils s'apprêtaient à repartir avec de nouvelles chances. Jusqu'à

Jumauge qui parlait trop fort. Quand vint le moment de la séparation, ils s'embrassèrent avec émotion, se promirent de se téléphoner souvent, de s'aider en cas de besoin.

« Je crois que nous sommes un peu éméchés, me dit l'abbé. C'est trop beau pour être vrai. »

Je le raccompagnai à Vanves. Il parla beaucoup, essaya de me démontrer qu'en greffant un membre à quelqu'un, on modifie par là même son destin, puisque ses aptitudes se trouvent changées. Il philosophait d'une voix un peu pâteuse et finit par s'endormir, la tête sur mon épaule.

J'étais las et, pour être franc, je commençais à en avoir assez de l'Amicale, des confidences bizarres et des propos incohérents. Je décidai de m'accorder un congé de deux jours. Plus de téléphone. Plus de clinique. Je sortirais comme tout le monde; j'irais au cinéma, au café, comme tout le monde.

Sur le palier, j'entendis la sonnerie du téléphone. Je pressentis immédiatement le coup dur. Je ne me trompais pas. C'était M. Andreotti.

« Vous savez ce qui nous arrive, Garric? Régine Mancel, la maîtresse de Myrtil... vous y êtes?... Bon. Elle a été libérée hier.

— Déjà?

— Mais oui. Elle avait attrapé deux ans de prison, pour recel... je crois que tous ces détails figurent au dossier... Donc, elle a été libérée et maintenant elle veut savoir où est enterré Myrtil, pour aller prier sur sa tombe. Vous vous rendez compte?

— Mais il n'y a pas de tombe.

— Justement. Il faut lui laisser croire que Myrtil a été inhumé à Thiais. Qu'est-ce que vous voulez! On n'a pas le choix! Il n'est pas question de lui dire la vérité!

— Bon. D'accord... Mais moi...

— Attendez. Je vais vous demander, Garric, de l'accompagner. Nous ne pouvons pas la laisser seule... Elle poserait des questions aux gardiens... Non. Il faut que quelqu'un lui montre l'endroit... enfin, un endroit... Bref, vous devez lui inspirer confiance. Elle regardera, elle priera, elle fera ce qu'elle voudra et, après elle nous fichera la paix, du moins je l'espère.

— Comment est-elle ?

— Belle fille, grande, blonde...

— Non. Moralement.

— Je n'en sais rien. Elle n'a sûrement pas froid aux yeux et je crois qu'elle a beaucoup aimé Myrtil. Quand elle raconte qu'elle a toujours ignoré ce que faisait son amant, c'est de la frime, vous le pensez bien. Pour tous ceux qui ont suivi cette affaire, il est hors de doute qu'elle était au courant.

— Enfin, il est exclu qu'elle cherche à provoquer un scandale ?

— Absolument. À condition qu'elle ne se doute de rien. Alors, prenez un air de circonstance, donnez-lui le change. C'est capital !

— Franchement, monsieur le Préfet, je commence à trouver ma mission lourde.

— Je sais, Garric, je sais... Mais vous arrivez au bout de vos épreuves. Un peu de cran.

— Et quand dois-je la conduire à Thiais ?

— Dès demain... Le plus tôt sera le mieux, croyez-moi. Elle vous attendra à la conciergerie de la Préfecture... à dix heures. J'ai mis une voiture à votre disposition. Vous serez de retour à midi.

— Et... si elle demande à récupérer le corps pour le faire enterrer ailleurs ? »

— C'est à vous d'intervenir. Détournez-la de ce projet. Faites-lui comprendre que la page est tournée... que nous l'aiderons... si elle se montre raisonnable... Je vous fais confiance, Garric. De toute façon, il y a un délai légal qui nous donne le temps de nous retourner... Autrement, nos clients... ça va ? »

Rapidement, je le mis au courant. La création de l'Amicale l'amusa beaucoup.

« Je vous assure que moi, je n'ai pas envie de rire, monsieur le Préfet.

— Vous avez tort, mon cher ami... Moi non plus, remarquez bien, je n'ai pas envie de rire, mais vous prenez cette affaire trop à cœur... Si, si... je vous sens sérieux, tendu... Bien sûr. Je me mets à votre place. La corvée de demain, notamment, n'est pas drôle. Mais c'est le dernier épisode. Les voilà tous hors de danger. Il ne peut plus rien nous arriver, maintenant. Et dans six mois, nous ferons éclater la vérité. Peut-être même avant. Soyons optimistes, mon cher Garric. Bon courage. Et un petit coup de fil, demain, s'il vous plaît... Bonsoir. »

J'étais furieux. M'obliger à jouer la comédie devant une tombe, avec une catin ! Je faillis envoyer ma lettre de démission. Et puis, à dix heures, le lendemain, j'entrai à la Préfecture de police.

J'avais l'air d'un condamné.

Naïvement, je m'attendais à rencontrer Casque d'or ou Nini-Peau-de-Chien, peut-être à cause des termes employés dans le rapport... « la fille Mancel... la prévenue... la maîtresse de Myrtil... » Sa profession aussi était suspecte : modèle. Nous savons, nous, ce que cela veut dire. Aussi, en présence de Régine, je me mis à balbutier comme un collégien. Elle était belle et digne, dans son tailleur sombre d'excellente coupe. J'avais affaire à une femme offensée qui, d'emblée, me faisait sentir que j'étais l'offenseur ou, du moins, que j'appartenais au camp des oppresseurs. Elle était blonde, d'un blond chaud de miel, de pain ; elle était comme une nourriture offerte mais ses yeux, d'un bleu noir, étaient ceux d'une guerrière bien décidée à ne pas rendre les armes. Ils me clouaient à distance, me détaillaient avec une sorte de mépris. Elle accueillit mon salut d'un simple hochement de tête, monta dans la voiture d'une manière pleine de retenue. Son profil était un rien plébéien, à cause du nez légèrement retroussé, mais la natte artistement roulée en un chignon sur la nuque équilibrait le visage et lui donnait une grande pureté. Son parfum achevait de la rendre dangereuse. En vingt-quatre heures, elle avait retrouvé son allure d'autrefois.

« Est-ce que René a dit quelque chose avant de mourir ? » demanda-t-elle.

L'occasion était bonne. Je lui expliquai que Myrtil avait beaucoup changé, durant les derniers mois. Il avait souvent exprimé son désir d'être oublié, et il avait attendu paisiblement la mort. Il avait fait preuve jusqu'au bout d'un grand courage en même temps que d'une sorte d'indifférence, comme si rien ne comptait plus pour lui. Je n'étais pas très fier du rôle que j'étais en train de jouer. Il y avait des larmes dans les yeux de Régine, mais, soucieuse de son maquillage, elle les empêchait de couler.

« Je voudrais, dit-elle, que nous suivions le même chemin que le fourgon qui l'a emporté.

— C'est bien facile. »

Je me penchai pour donner des ordres au chauffeur. Elle avait sorti de son sac un petit mouchoir qu'elle pétrissait et qu'elle portait, de temps en temps, à son nez. Comme nous longions le haut mur gris de la Santé, elle murmura :

« C'est vrai... qu'on les enterre la tête entre les jambes ?

— Pourquoi penser à ces choses ? dis-je. Il aurait pu être tué à la guerre, ou bien être déchiqueté dans un accident d'auto. Le corps n'est rien. »

Elle attendit un peu avant de me demander :

« Vous êtes croyant ?

— Je crois, dis-je, que Myrtil a racheté ses erreurs. Je crois à la justice. »

Ce langage l'étonnait, je le voyais bien, mais elle ne posa plus aucune question.

Quand nous arrivâmes au cimetière, elle accepta ma main pour sortir de la voiture. Elle était moins hostile. Elle devait être capable de grands éclats, mais pas de rancune. Au bureau, on me donna des indications précises et compliquées, car le cimetière est immense. Le carré des suppliciés se trouve tout au fond, dans une sorte de banlieue des tombes. À l'image des villes, les cimetières ont leurs beaux quartiers et leurs taudis. Le terrain vague était réservé aux suppliciés. Il y avait là quelques tertres que des herbes folles commençaient à recouvrir. Fusillés, guillotinés, ils dormaient là, dans un anonymat terrible. Régine, maintenant suspendue à mon bras, avançait d'un pas de plus en plus incertain. Je m'arrêtai devant un monticule nu.

« C'est là », dis-je.

Elle eut alors un geste surprenant. Elle courut jusqu'à l'allée la plus proche, ramassa, au hasard, des fleurs, des feuillages, et éparpilla sa moisson sur la terre brune. Puis elle s'agenouilla dans l'herbe, pencha la tête, comme si, à son tour, elle l'offrait à quelque bourreau, et resta longtemps immobile.

Et moi, à deux pas en arrière, je me sentais de plus en plus complice d'un monstrueux complot. J'avais vraiment pitié d'elle. Je l'aidai à se relever. Brusquement, en ce fond de cimetière, dans le silence des pierres, une sorte de camaraderie et même d'intimité naissait entre nous, parce qu'elle s'appuyait sur moi pour s'épousseter, parce qu'elle pleurait sans songer à se cacher et qu'elle ressemblait, comme toutes les femmes qui pleurent à une très petite fille abandonnée et sans défense.

« Je ne le verrai plus », répétait-elle.

Devant une tombe portant un nom gravé, elle aurait pu s'imaginer le défunt endormi, à peine séparé d'elle par une table de granit. Ici, elle ressentait brutalement ce que signifie une absence définitive, éternelle. Et cependant, à Ville-d'Avray... Ah! nous n'aurions pas dû faire cela ! Le chagrin de cette femme me rendait évidente cette idée que la mort est une relation personnelle, et qu'elle a, par là même, une signification mystérieuse que nous avions saccagée. Nous lui avions volé la mort de Myrtil.

« Venez, dis-je. Allons-nous-en !

— Est-ce que je pourrai revenir ?

— À quoi bon ?... Vous voyez. Personne ne vient jamais ici. Croyez-moi, oubliez ce cimetière. Il ne compte pas. »

Je disais n'importe quoi, pour la distraire, pour éluder la question qu'elle devait forcément me poser : « Pourrai-je le faire enterrer ailleurs ? » Et pourtant, cette question, elle ne la posa pas et je compris qu'elle ne la poserait jamais, parce qu'elle était trop simple pour avoir le sens du monument, de l'établissement posthume, de la survie sociale. Elle se moquait de tout cela. Seul, son amour l'occupait tout entière. Le préfet s'était trompé. J'avais l'impression de plus en plus nette que tout le monde, en haut lieu, comme on dit, s'était trompé, qu'on n'avait vu qu'une expérience là où, peut-être, allait commencer, pour chacun de nous, une épreuve.

Nous revînmes à la voiture.

« Qu'allez-vous faire, maintenant ? demandai-je.

— Je ne sais pas.

— Est-ce que vous avez de la famille ?

— Oh ! Il y a longtemps qu'elle m'a laissé tomber. Mais j'ai l'habitude de me débrouiller... Je reprendrai mon ancien métier... J'étais modèle.

— Myrtil ne vous a rien laissé ? »

Elle haussa les épaules.

« Non, rien. Il croyait que ça durerait toujours... Il était devenu comme fou... Il s'imaginait qu'il était plus fort que tout le monde... J'ai lu des choses sur les dictateurs, eh bien, il était comme ça... Et quand je lui faisais des observations, il disait : “ Myrtil s'en fout ! ”, parce qu'il disait : “ Myrtil ”, en parlant de lui-même. »

Elle se laissait aller aux confidences, vaincue par la fatigue et la douleur. Elle sentait bien que je ne l'interrogeais pas par curiosité professionnelle mais que j'essayais de la distraire de son chagrin.

« Comment se comportait-il, avec ses complices ?

— Lui ?... On ne peut pas vraiment appeler ça des complices... Il était bien trop fier. Quand il ne pouvait pas monter un coup tout seul, il embauchait deux ou trois hommes, qu'il payait largement. Mais, la plupart du temps, il opérait seul. Et il réussissait toujours, c'est vrai. »

J'aimais la voix de Régine. Toutes les émotions s'y reflétaient à la fois. Elle tremblait, proche du sanglot, et puis elle devenait ferme, presque raisonneuse, ou bien elle montait, l'admiration la rendait véhémente et soudain elle vibrait d'un éclat de jeunesse... Je comprenais mieux l'emprise que Régine avait exercée sur Myrtil et, du coin de l'œil, j'admirais la sûreté, le naturel, de ses mouvements. Elle se repoudrait, sans songer à dissimuler ou à atténuer les mille petites grimaces des lèvres, des joues, qu'une femme élégante est obligée d'adresser à son miroir. Elle penchait la tête, la redressait ; j'apercevais juste un œil bleu et un sourcil arqué, dans la glace de son poudrier, tandis que son parfum m'envahissait, m'engourdissait... Je revoyais la tête de Myrtil, maintenant barbue, sur les épaules de Nérisse et je contemplais Régine, j'imaginais Myrtil près d'elle. J'imaginais son bras autour d'elle... le bras de qui, au fait ?... Non, pas l'abbé... Gaubrey... Et puis, j'imaginais Jumauge... Voilà où j'en étais ! On m'imposait des pensées malades, parce qu'on avait créé une situation elle-même anormale à laquelle il était impossible de s'intéresser sans se salir.

« Où voulez-vous que je vous dépose ? dis-je avec brusquerie.

— Ça m'est égal. J'habite maintenant chez une

amie, qui est mannequin. C'est près de la place Blanche. »

J'ajoutai, presque malgré moi :

« Si je peux vous être utile...

— Que pourriez-vous faire pour moi ? répondit-elle. Pourtant, quand je me sentirai un peu mieux, j'aimerais que vous me racontiez en détail, si cela ne vous ennuie pas, sa captivité et ses derniers moments... On m'a recommandé de m'adresser à vous, pour tout ce qui concernait René... »

Je n'eus pas le cœur de la détromper, tout en maudissant M. Andreotti.

« Volontiers, dis-je. Vous n'aurez qu'à me téléphoner chez moi, pour prendre rendez-vous. »

Et je lui donnai mon numéro.

« Merci... Je ne m'attendais pas à tant de gentillesse de la part... d'un... »

Je devinai le mot qu'elle n'osait pas prononcer.

« D'un fonctionnaire de la Préfecture ? suggérai-je.

— Voilà ! »

Elle sourit et me tendit sa main gantée, tandis que la voiture stoppait, en double file.

« Bonne chance ! » lui dis-je.

Elle croisa son majeur et son index, pour conjurer le mauvais sort et claqua la portière. Je la regardai s'éloigner, superbe, indifférente.

Je consultai ma montre. Un peu plus de midi. J'étais à deux pas de la rue Ravignan, où habitait Gaubrey.

« Laissez-moi, dis-je au chauffeur. J'ai une course à faire. »

Pourquoi ce besoin subit de passer voir Gaubrey ? J'étais en peine de m'en donner une raison claire. Peut-être, après mon long tête-à-tête avec Régine, avais-je hâte de m'assurer que son amant survivait toujours sous la forme d'un bras gauche ? Jusque-là, j'avais été un spectateur, un témoin extrêmement attentif, mais non concerné. Or je me rendais compte que, maintenant, à cause de Régine, quelque chose de trouble s'était glissé en moi. J'avais envie de ricaner en pensant à mes sept greffés. Pour un peu, je leur aurais voulu du mal ! Et si j'allais, de ce pas, chez Gaubrey, au fond, c'était poussé par quelque chose qui ressemblait fort à de la jalousie.

Je trouvai Gaubrey couché sur un lit de fer et fumant une longue pipe. Son atelier ressemblait à un bric-à-brac ; il était encombré et sordide. Il y avait, un peu partout, des toiles commencées, informes ; le plancher était sale et maculé. Des assiettes étaient empilées dans un coin. Je débarrassai une chaise.

« Je ne vous dérange pas ? » dis-je.

Gaubrey avait bu ; ses yeux bouffis, son teint congestionné me prouvaient qu'il était encore à moitié ivre. J'aperçus la bouteille, sur la table. Il n'y avait pas de verre. Gaubrey devait boire au goulot.

« Je suis bien libre, non ? grommela-t-il. C'est le professeur qui vous envoie ?... Il veut sans doute savoir ce qu'elle fabrique, sa main ?... Eh bien, vous pouvez lui dire qu'elle n'est bonne à rien... À rien... Jamais vu une main pareille ; tout ce qu'elle touche, elle le fout par terre.

— Mais alors... votre travail ?

— Mon travail ! »

Il se mit à rire, si fort que tout le lit grinça, puis, à grand-peine, il réussit à s'asseoir.

« Mon travail, reprit-il, vous le voyez... Il est là... Tenez, cette petite toile, près de vous... oui... au pied du chevalet... qu'est-ce que c'est, d'après vous ? »

Je vis des taches rouges, des couleurs brunâtres, comme si du sang avait giclé sur la toile.

« C'est la rue des Saules ! cria-t-il, et son fou rire le plia en deux.

« Oui, expliqua-t-il en s'essuyant les yeux, c'est ma nouvelle manière, ma période rouge. »

Il me montra la bouteille.

« Si ça vous chante... c'est du vrai... du Old Crow.

— Vous ne devriez pas, commençai-je.

— Quoi ! Quoi ! Je ne devrais pas... Vous pourriez, vous, tenir le coup, avec un bras qui a la tremblote ? Mais regardez, nom de Dieu, regardez... »

Il s'approcha du chevalet, attrapa un pinceau.

« Vous voyez... j'essaie d'aller droit, de dessiner un simple trait... On dirait que j'enregistre un tremblement de terre... Non, la vérité c'est qu'on m'a collé une main de manœuvre. Elle était peut-être bonne pour faire marcher un marteau piqueur, mais pour tenir un pinceau, pas la peine d'y songer. Pas être foutu de tracer une ligne droite, c'est à croire qu'on l'a fait exprès...

— Recommencez, dis-je. Sans contrarier votre main.

— Si vous croyez qu'elle m'écoute ! »

Il essaya de faire descendre verticalement son pinceau sur la toile et le pinceau sinua, dessina trois ondulations irrégulières. Gaubrey le jeta à travers l'atelier.

« Avant, dit-il, je n'étais pas un as. Mais enfin ce que je peignais, ça se laissait regarder. Maintenant...

— Et avec la main droite ?

— Essayez donc, vous, d'écrire avec votre main gauche !

— Vous voulez peut-être aller trop vite. Il faut du temps pour rééduquer une main. »

Il releva sa manche, d'un geste brusque, dénuda son avant-bras plein de muscles et de poils.

« Franchement, monsieur Garric, vous croyez que cette patte sent la peinture ?... Autant demander à un boxeur de faire de la dentelle. »

J'étudiai les courbes tracées sur la toile. Elles étaient franches, et non pas hésitantes et tremblées comme le prétendait Gaubrey.

« Vous savez ce que représente ce trait ?... dis-je. Une silhouette... Voilà la courbe de l'épaule... et celle du flanc... et celle du mollet... Les proportions y sont.

— Vous ne manquez pas d'imagination.

— C'est peut-être vous qui n'en avez pas assez... Voyons, Gaubrey, soyons sérieux... Je me rappelle tout ce que vous m'avez raconté à la clinique. Il y a un peintre que vous enviez, n'est-ce pas ?... que vous voudriez imiter ?... Bernard Buffet ?

— Non... Carzou.

— Bon. Mettons !... Vous avez la superstition de l'angle, du cassé, de l'aigu... C'est cela qui est une erreur. Pourquoi n'interpréteriez-vous pas vos sujets dans le sens du rond, du féminin, au contraire ? Faites des nus, pour vous entraîner. Et puis, après, vous vous lancerez dans une sorte d'anticubisme.

— J'ai la main du pelotage, si je comprends bien », ricana Gaubrey.

Une seconde, je fus gêné, à la pensée que la main de Gaubrey avait caressé Régine. Était-ce la hanche de Régine, ou sa cuisse, qu'elle avait inconsciemment modelée sur la toile ? J'écartai cette idée grotesque. Je savais bien que ma théorie était sans valeur et que Gaubrey resterait un raté. Mais il fallait l'arracher au découragement dans lequel il était en train de sombrer, lui fournir n'importe quel motif d'espoir.

« Je connais quelques directeurs de galeries, dis-je. Si vous travaillez, si vous trouvez un genre bien à vous, en faisant confiance à cette main au lieu de la mépriser, je vous mettrai en rapport avec eux. »

Gaubrey m'écoutait d'un air buté.

« Bien, patron... À vos ordres, patron », fit-il, en

esquissant un salut plongeant qui compromit son équilibre.

J'avais envie de le gifler. Je l'empoignai par les revers de sa veste.

« Écoutez, Gaubrey. À peu près tous les autres sont satisfaits de leur greffe. Vous êtes le seul à rouspéter tout le temps. Alors, faites un effort. Vous ne comprenez donc pas que dans six mois, malgré vous, vous serez célèbre, quand on saura la vérité ! Voilà pourquoi vous devez vous tenir prêt. Si j'étais à votre place, il me semble que je travaillerais nuit et jour. »

Je le lâchai et allai vider dans l'évier la bouteille de bourbon. Il ne protesta pas. J'eus l'impression, en le quittant, que j'avais éveillé son intérêt.

Il faisait beau, je m'accordai trois jours de repos et filai à Saint-Servan où je louais à l'année une petite maison au bord de la Rance. Je pris des notes et réfléchis longuement, tout en me promenant le long des plages de l'estuaire. Je ne veux pas entrer dans le détail de ces méditations, pour ne pas alourdir ce rapport où je m'efforce de ne consigner que des faits. Cependant, je dois faire état d'une observation qui prenait de plus en plus de force et de clarté dans mon esprit : il était évident que les différentes parties du corps de Myrtil non seulement conservaient encore une trace d'autonomie, de même qu'un minerai très ancien demeure faiblement radioactif, mais encore exerçaient les unes sur les autres une sorte d'influence. Plus exactement, Myrtil mort et partagé constituait comme une constellation de fragments, comme un univers doué d'une gravitation propre. La preuve : à peine libérée, Régine avait été de nouveau attirée dans l'orbite de Myrtil et maintenant elle tournait autour de moi qui tournais autour des sept autres, et nous étions tous aimantés, pour ainsi dire, par les radiations de Myrtil. Ce n'était plus là un phénomène d'ordre physique mais plutôt d'ordre psychique. Nos pensées à tous recevaient du disparu une impulsion secrète ; nous nous hantions les uns les autres ; nous faisions partie d'un même circuit d'obsession.

J'eus une confirmation de cette thèse dès mon retour à Paris. L'abbé Leviret me téléphona le soir même. Il m'avait appelé plusieurs fois, toujours au sujet de Jumauge. Il était assez inquiet et je l'invitai à passer chez moi, sans plus attendre. Je remarquai sa main, cachée par un gant noir.

« Elle vous donne toujours du fil à retordre ? demandai-je.

— Non, pas trop... J'ai eu quelques ennuis, le dimanche, au moment de la quête. Oh ! juste deux ou trois élans à vaincre. Presque rien. C'est Jumauge qui me paraît ne pas tourner rond.

— Qu'est-ce qu'il a ?

— Vous devez bien vous en douter. Je ne trahis aucun secret, remarquez. Il ne s'est pas confessé. Il est simplement venu me parler d'homme à homme. Il faut le plaindre, vous savez... C'est presque un cas de possession. Myrtil avait probablement de gros... besoins, de très gros, et il était habitué à les satisfaire tout de suite. N'avait-il pas une... une amie ?

— Oui, Régine... »

Ma voix avait buté sur le mot et l'abbé me regarda. Je lui offris un cigare pour lui cacher mon embarras, mais son allusion aux relations de Myrtil et de Régine m'avait mis de mauvaise humeur.

« Alors..., dis-je. Qu'est-ce qu'il vous a raconté ?

— Eh bien, d'abord, il s'est fâché avec cette personne, vous êtes sans doute au courant, ce professeur de piano...

— Je sais. Pourquoi s'est-il fâché ?

— J'aimerais, monsieur Garric, que vous compreniez à demi-mot.

— Bon sang, l'abbé, nous ne sommes pas dans une sacristie. Parlez ! »

Le pauvre garçon faisait peine à voir. J'allai chercher une bouteille de cognac et deux verres. Nous trinquâmes.

« Je vais vous aider, dis-je. Il s'est montré trop exigeant ?

— Oui. Mais ce n'est pas tout.

— Quoi ?... Vous n'allez pas me dire que Myrtil était un anormal ?

— Myrtil, non. Jumauge non plus. Mais ce que Jumauge ne peut pas supporter, c'est le contraste. Vous l'avez vu à table. Il dévore. Il n'est jamais rassasié ; il digère parfaitement, d'ailleurs. Mais, au lieu d'éprouver de la satisfaction, il s'accuse, au contraire. Il se trouve bestial. Alors, jugez de ce qu'il ressent quand il s'agit de...

— Je commence à comprendre.

— Imaginez un pauvre à qui vous offririez une fortune. Il aurait peur de sa richesse. À la moindre dépense excessive, il regarderait autour de lui, se demanderait si c'est bien ainsi qu'on doit user de l'argent... Vous voyez ?

— Les pauvres se mettent vite à la page.

— Oui, bien sûr. Ma comparaison n'est peut-être pas très bonne. Lui, en tout cas, ne s'y met pas du tout, à la page. Il est en train de se prendre pour un monstre.

— Allons donc !... Vous êtes sûr que vous n'exagérez pas un peu ? »

L'abbé se fouilla et me tendit un épais carnet fermé par un élastique.

« Vous jugerez vous-même, dit-il. Voici son journal, ou du moins les premières notes de son journal. Comme il ne m'a nullement demandé le secret, et comme vous êtes plus directement intéressé que moi par son cas, je vous le remets.

— Il ne serait pas un peu trop homme de lettres, par hasard ?

— C'est possible. Mais lisez d'abord. »

Je reconduisis l'abbé, qui paraissait soulagé.

« Vous n'avez pas vu les autres ? demandai-je.

— Non. Je sais que Nérisse n'est pas très brillant, lui non plus. On m'a appris, à la clinique, qu'il souffrait de névralgies douloureuses. J'ai essayé de téléphoner à Mme Gallart. Elle n'était pas là. Je compte passer ce soir chez Mousseron. Éramble va bien, paraît-il. »

Il débordait, comme toujours, de bonne volonté. Je l'aimais bien, notre petit abbé ! Avec lui, du moins, les complications n'étaient pas à redouter. Je lui serrai la main et, après m'être accordé deux doigts de cognac, m'installai dans mon fauteuil pour lire le fameux carnet. C'était en réalité, un gros agenda où Jumauge notait, au jour le jour, ses rendez-vous, ses dépenses, ses pensées et, de temps en temps, quelques vers qu'il jugeait sans doute particulièrement remarquables. Il avait l'habitude de rencontrer tous les samedis son amie et ils devaient passer le dimanche ensemble car, aux pages du dimanche, je relevais, par exemple :

Bec Fin, deux déjeuners : 2400 francs. Le foie de veau était trop cuit. Éviter le Sancerre, à l'avenir... Le Nivernais, deux déjeuners : 2750 francs... Les coquilles Saint-Jacques n'étaient pas fraîches... Discussion sur Pelléas et Mélisande. Évident que Nadine ne comprend rien à Maeterlinck... À Debussy non plus, du reste... Hôtel des Chanoines, à Chartres. Pluie continuelle. J'avais froid aux pieds dans la cathédrale. Agaçants, ces gens qui prient. Relire Les États multiples de l'Être, *de Guénon.*

Le Pain des Collines (*poèmes*) :

> En ce temps-là, il y avait
> entre toi et moi une place au soleil.

Aspirine, Loraga, Bismuth : 1925 francs. Plus le taxi, le train. Je commence à vivre au-dessus de mes moyens.

Mais j'avais hâte de feuilleter les pages écrites après l'opération. Il n'y en avait pas beaucoup. Les notes chevauchaient les jours, sans tenir compte de la chronologie.

Impression dominante : je n'ai plus le temps de penser, de réfléchir. Ils ont fait de moi un chien. Je sens la terre, sous la fenêtre ; je sens les odeurs de l'office... il y aura sûrement du merlan à midi... Je sens le tabac que fume Éramble, à trois chambres de distance... Avant, je ne faisais pas attention au détail des choses... Maintenant, je vis hors de moi-même... non seulement les odeurs, mais les bruits... Les souvenirs aussi sont comme des vues sur une visionneuse. Je me rappelle spécialement une sole mangée à Dieppe, il y a deux ans... le décolleté de la servante, le mouvement de ses hanches... C'est maintenant que j'aime ses hanches... Elles bougent, la chambre bouge, le lit bouge... je me retrouve tremblant, épuisé, et déjà en proie à d'autres images. J'ai faim. J'ai soif. J'ai envie de m'en aller, de marcher dans l'herbe, de mâcher des feuilles, de mordre et de hurler...

Je suis vivant. Il y a là quelque chose d'énorme que je n'arrive pas à comprendre. C'est inépuisable et c'est effrayant. J'étais bien, j'étais tranquille. Les jours se suivaient sans secousse. Vais-je pouvoir me remettre à travailler, comme avant ? Je ne réussis pas à me concentrer. Je me sens tout éparpillé... Je regarde les nuages et tous ceux de mon enfance se mettent à défiler. Je me revois au moulin de l'Aubier, j'avais six ans... J'allais déterrer des carottes, pour les manger crues, je grimpais dans les noisetiers, dans les pommiers, je buvais le vent. Je me revois guettant Élise, la servante, quand elle se déshabillait après déjeuner pour faire la sieste... Je croyais en avoir fini avec toutes ces bêtises, et voilà que je ne suis plus le maître. Je compte les voyages que je n'ai pas entrepris et les femmes que je n'ai pas possédées. Je compte, sans répit, les occasions perdues. Quelque chose en moi voudrait me persuader que je suis malheureux, que j'ai choisi, un jour, la mauvaise direction. Je ne suis pas dupe. Je vois bien que les désirs qui me travaillent ne m'appartiennent pas en propre. Ils cherchent à s'assumer ma complicité et, pour cela, ils essayent de me diminuer à mes propres yeux. Mais ils n'y réussiront pas. Ils sont ignobles, je le dis, je l'écris, je le sais. Je ne veux pas être un chien.

... Le spectacle de la rue est insoutenable. La femme est partout. Même aux petites heures, celles que je préfère, je sens ses effluves autour de moi. Je marche longtemps. Comme je mange trop, j'ai besoin, maintenant, de me fatiguer, de me briser, sinon.

Plusieurs feuillets avaient été arrachés et il n'y avait plus, ensuite, que des notes confuses, des phrases hachées.

Impossible d'expliquer à Nadine...

Joie. Honte. Merveilleux sur le moment. Après, c'est invivable... Ou bien, c'est que je me suis trompé tout le temps...

Rupture avec Nadine. Je lui fais peur.

Elle s'appelle Clotilde. C'est une fille, bon, et après? Découverte d'un monde... Que celui qui entre ici laisse à la porte tout sentiment... Le sentiment, c'est peut-être ce qui reste, quand on est impuissant. Moi, je m'y vautrais comme un cochon, dans le sentiment...

Clara. Une sacrée garce. Elle dit que j'apprends vite... Mais l'argent?... Et toujours ma pauvre gueule de pion. Ça les fait rigoler. Il paraît qu'à me voir on ne peut pas se douter...

C'est fort mais c'est toujours pareil, comme si on soufflait dans un clairon qui produirait toujours la même note assourdissante. J'aimerais bien entendre un peu de vraie musique.

Le journal intime s'arrêtait là. Je me couchai, perplexe. Ce qui arrivait à Jumauge était assez clair. Il était dépassé par ses nouvelles aptitudes. Un autre se serait senti libéré. Lui, risquait de devenir enragé. Déjà, avec Gaubrey, ça ne marchait pas fort. Si maintenant, Jumauge se mettait à faire des complexes!... Les suites de l'expérience me paraissaient de plus en plus fâcheuses. Je résolus de rendre visite, le lendemain, au jeune Mousseron. Différentes besognes me retardèrent et, quand je fus libre, il était déjà plus de quatre heures. Naturellement, Mousseron n'était plus chez lui. Sa concierge me dit que je le retrouverais chez des amis, rue d'Assas. Il était, en effet, à l'adresse indiquée. Il répétait, dans un garage, avec trois garçons : batteur, guitariste et contrebassiste. Une Mercedes avait été reculée et ils se déchaînaient tous les quatre, dans un espace grand comme la main. J'appris, petit à petit, que le garage et la maison appartenaient à la mère du guitariste, veuve d'un diplomate. Les quatre avaient l'intention, avec un cinquième qui savait jouer de la trompette, de former un petit orchestre pour lequel, d'ailleurs, on cherchait un nom. Mousseron débordait de confiance.

« Écoutez ça, patron ! »

Car maintenant, il m'appelait patron. Et il se lança dans une improvisation qui fit entrer en transe les trois autres. Ils frappaient des mains et des pieds, puis tétanisés par le rythme, ils empoignèrent leurs instruments pour lui donner la réplique. Les têtes, les jambes, les épaules s'agitaient spasmodiquement et Mousseron, les yeux fermés, tantôt levant son saxophone dans une invocation torturée, tantôt allant chercher entre ses genoux des sons dramatiques comme des râles, menait la danse avec une rigueur et une violence admirables. Quand il s'arrêta enfin, les yeux rougis et le cou battant, j'applaudis. Ce fut plus fort que moi. J'applaudis et lui serrai la main.

« Vous êtes étonnant, avouai-je.

— Pas vrai, hein ? dit le guitariste. Depuis son accident, ce n'est plus le même !

— Et puis, cette sonorité, pardon ! intervint le batteur. Moi j'ai jamais entendu ça. »

Et le contrebassiste ajouta, en essuyant ses lunettes :

« On passe une audition après-demain. »

Tard dans la soirée, j'emmenai Mousseron dîner à la Closerie.

« Franchement, lui dis-je, vous ne regrettez rien ?

— Moi ! Je n'ai jamais été aussi bien, patron. Pourquoi ?

— Parce que les autres ne sont pas très brillants. »

Et je lui parlai de mes inquiétudes concernant Jumauge et Gaubrey, des maux de tête de Nérisse, des regrets un peu troubles d'Éramble...

« Je crois que vous exagérez, dit-il. Jumauge et Gaubrey étaient des pauvres types avant. Eh bien, ils le sont restés. Je ne vois pas ce qu'il y a d'anormal là-dedans.

— Mais vous... Votre camarade le reconnaissait tout à l'heure, vous n'êtes plus le même... Qu'est-ce qu'il y a de changé en vous ?

— Rien, patron, rien. Avant, j'aimais le saxo mais je n'avais pas assez de coffre. Maintenant, j'ai le coffre, c'est tout.

— Ce n'est pas ce que je veux dire. Avant... auriez-vous osé vous lancer, former un orchestre et tout ?...

— Non, je n'étais pas de taille. Mais maintenant, il n'y a pas de problème.

— Et vous êtes plus heureux ?

— Oh ! la ! la ! C'est maintenant que je commence à vivre.

— Vos études ?

— Fini ! les copains et moi, c'est décidé. On

marche à fond. On fait le trou. Dans six mois, vous verrez ce qu'on ramassera comme fric.

— Encore une question. Vous pensez quelquefois..., à Myrtil ?

— Jamais. Pas le temps... Entre nous, vous savez, ce truc d'Amicale, ces réunions, tout ça, c'est des mômeries... Moi, je veux bien, remarquez. Mais à quoi ça rime ? La soufflerie de Myrtil, on me l'a collée. Elle est à moi. C'est une affaire entendue. Ce n'est pas Myrtil qui aurait joué du saxo, pas ? Alors qu'on me fiche la paix avec Myrtil ! »

La philosophie de Mousseron me plaisait. Celui-là, du moins, était sauvé. L'abbé aussi. Cela faisait deux rescapés sûrs. Je repris confiance. Après tout, Mousseron avait raison : chacun demeurait tel qu'il était avant. L'opération n'avait modifié personne en profondeur. Seulement, elle avait aiguisé la conscience que chacun avait de soi.

Cependant, il fallait tenter quelque chose pour Jumauge. Je téléphonai donc à l'abbé. Justement, celui-ci allait me rappeler. Il avait reçu la visite de Jumauge et, cette fois, Jumauge s'était confessé. L'abbé était encore bouleversé.

« Si l'on n'intervient pas, il va se tuer, me cria-t-il.

— Il vous l'a dit ?

— Non. Mais j'ai bien compris qu'il était à bout. Je ne peux rien vous répéter, mais je suis épouvanté.

— Ce soir, il est trop tard pour que nous allions le voir. Voulez-vous demain matin, à neuf heures ?

— Plus tôt... Le plus tôt sera le mieux, croyez-moi.

— Bon. Je passerai vous prendre à huit heures, à Vanves. »

Le lendemain, à huit heures, j'installai l'abbé près de moi, et nous filâmes en direction de Versailles.

« C'est donc si grave ? dis-je.

— Vous avez vu son carnet. Vous savez de quelle

obsession il souffre. C'est terrible. Car enfin, il n'est pas responsable.

— Allons donc ! Il a toujours été un tourmenté, voyons ! Cela éclate à toutes les lignes du carnet.

— Tourmenté, peut-être. Mais pas au point de commettre... Non, je vous en prie, ne me faites pas dire ce que je n'ai pas le droit de dire. »

Je doublai rageusement une file de camions et rattrapai la Nationale qui, par chance, était bien dégagée.

« Son cas n'est pas compliqué, grommelai-je. Vous voulez que je vous le définisse ? Eh bien, Jumauge était un résigné, qui avait sécrété autour de lui, comme une coquille, quelques petites certitudes apaisantes ; et puis, tout à coup, il s'est trouvé nu et il a eu peur. Il crève de peur.

— Non, dit l'abbé, avec entêtement. Je m'excuse mais je ne suis pas du tout d'accord. Pour moi, Jumauge a brutalement éprouvé, comment dire ?... des impressions... des sensations dont il n'avait aucune expérience et qui lui ont paru malsaines simplement parce qu'elles étaient trop fortes... Vous voyez ?... Imaginez quelqu'un qui serait privé de goût et d'odorat... On le guérit et le malheureux croit, devant une soupe à l'oignon, qu'il est en train d'avaler du haschisch. C'est à peu près la même chose pour Jumauge.

— Il me semble que c'est, quand même, plus compliqué. Jumauge veut visiblement se punir, et peut-être punir les autres, de ce qu'il ressent. »

Je me tus parce que la circulation recommençait à poser des problèmes, mais, sans pouvoir m'expliquer clairement, je voyais assez bien le cas Jumauge... D'un côté, des désirs inavoués... de l'autre, la brusque possibilité de les satisfaire... Cela donnait, à la limite,

Jack l'Éventreur. Et mes théories étaient, encore une fois, à réviser.

Jumauge habitait, dans le quartier Saint-Louis, une maison sans grâce, précédée d'un jardinet minuscule. Il y avait une plaque sur la grille : *Cours Érasme.* Le bruit des portières alerta sans doute Jumauge car il parut, à la fenêtre du premier, se pencha pour nous crier :

« Je viens. Attendez-moi. »

L'abbé poussa le portillon et, en quelques pas, nous fûmes au pied du perron.

« Comment peut-on vivre ici ? chuchotai-je. Vous vous rendez compte : tous les jours, du matin au soir, ce défilé de cancres ! Ça doit être accablant ! »

L'abbé leva sa main gantée de noir, en un geste d'impuissance.

« Il y a bien pis ! » murmura-t-il.

Nous attendîmes. J'écoutai. Jumauge aurait dû faire du bruit, dans la maison.

« Qu'est-ce qu'il fabrique donc ? »

L'abbé commençait à trouver bizarre ce silence. Il frappa du poing à la porte et je remarquai comme ce poing était dur, massif. Sans l'avoir voulu l'abbé avait frappé comme un policier.

« Jumauge ! cria-t-il. Vous m'entendez ? »

Silence.

« Ho ! Jum... »

Son appel fut coupé net par une détonation assourdie.

« La fenêtre ! dis-je. Cassez le carreau ! »

Son poing partit. Un vrai coup de poing de professionnel, à la fois violent et retenu, qui fit voler le carreau en éclats sans que le gant fût même écorché par les débris de verre. Nous prîmes pied dans une salle à manger vieillotte, encombrée de plantes vertes. Je passai devant l'abbé, traversai un corridor et entrai dans une pièce transformée en salle de classe : tables, chaises... une chaire, un tableau... Jumauge était là, le visage couvert de sang. Il s'était effondré derrière la chaire et avait lâché, en tombant, un petit automatique de quatre sous, aussi vieillot que le reste.

« Il est mort ? » demanda l'abbé.

Je le tâtai.

« Non... restez près de lui. Je vais faire le nécessaire. »

Je courus à la voiture, perdis du temps car je ne connais pas bien Versailles, trouvai enfin un café. J'appelai Marek. Il fut bouleversé en apprenant ce suicide. Il pensait moins à Jumauge, je le sentis, qu'à son expérience bêtement compromise.

« Quel calibre ? interrogea-t-il.

— 6,35, je crois.

— On pourra peut-être le sauver. Ce ne sont pas des balles qui font beaucoup de ravage. Tout va dépendre... Ne le déplacez pas. J'arrive. »

En l'attendant, je prévins le commissaire de police et un médecin et revins en toute hâte. L'abbé priait près de Jumauge.

« Pas de changement ?

— Non. »

La blessure de la tempe ne saignait plus. Jumauge respirait faiblement. Pourquoi diable avait-il essayé de se tuer, en nous voyant ? Je visitai la maison et découvris un cahier, dans le secrétaire de sa chambre. C'était la suite de son journal intime. Je n'eus que le temps d'en lire la première ligne.

... Elle s'appelle Gertrude. Elle est la fille de la boulangère...

Je fourrai le cahier dans la poche de ma gabardine, car une voiture stoppait d'où je vis descendre deux hommes : le commissaire et le médecin. Je leur montrai mes papiers, mon ordre de mission, et leur donnai quelques explications sommaires. Le commissaire comprit tout de suite qu'il avait intérêt à se montrer conciliant et me promit qu'il n'ébruiterait pas l'affaire. Quant au médecin, son rôle se borna à constater que le blessé était transportable et avait peut-être une chance de s'en tirer s'il était opéré à temps. Là-dessus survint une ambulance d'où sortirent Marek et deux infirmiers. Jumauge fut placé sur une civière et embarqué. Je laissai au commissaire le soin de fermer la maison et, l'abbé et moi, nous fonçâmes sur Ville-d'Avray.

« S'est-il suicidé à cause de la greffe ? demandai-je à l'abbé.

— Je le crois.

— Mais s'il n'avait pas été greffé, il serait mort.

— Attention, dit l'abbé. Mourir d'accident et se tuer, ce n'est pas la même chose, surtout pour un chrétien. Vous êtes responsables, tous, du haut en bas de l'échelle. Je crains, monsieur Garric, de ne pouvoir cacher plus longtemps la vérité à mes supérieurs.

— Je vous en prie, m'écriai-je. Vous voyez au milieu de quelles difficultés je me débats. Alors n'en ajoutez pas de nouvelles. Et puis, Jumauge ne va peut-être pas mourir ? »

Nous attendîmes le professeur dans son bureau. Je rédigeai, mentalement, la lettre que j'allais être obligé d'envoyer au préfet, car il me fallait, de toute évidence, demander des consignes nouvelles. Si Jumauge survivait, il n'avait qu'à parler, qu'à envoyer son carnet... Je tâtai le cahier, dans ma poche. Le mot de l'énigme était peut-être là, mais je n'avais pas le temps de lire, maintenant. S'il mourait, et s'il était prouvé que son suicide était dû à l'opération... toute l'expérience était sabotée, irrémédiablement. Et quel coup pour les autres !... Quel coup pour Gaubrey, qui était encore plus désespéré que Jumauge... Comment faire pour repêcher Gaubrey ? J'en étais malade.

Marek nous laissa peu d'espoir. La balle avait pu être extraite, mais l'état du blessé était grave. Le professeur me tiendrait au courant, heure par heure. Je quittai la clinique, accablé. L'abbé était tout aussi abattu que moi. Je le déposai à Vanves et rentrai chez moi pour déjeuner.

« Il y a quelqu'un au salon, me dit la bonne.

— Qui ?

— Je ne sais pas. Une jeune femme... Elle est là depuis une heure. »

J'avais bien besoin de cette visite ! J'étais furieux quand j'ouvris la porte du salon.

« Comment ! Vous ?

— Oui », dit Régine, et elle éclata en sanglots.

Je m'approchai d'elle. Elle recula, comme si je lui faisais peur.

« Où est René ? » me cria-t-elle.

René ?... Je mis un moment avant de comprendre qu'il s'agissait de Myrtil. Moi non plus, je n'avais plus ma tête à moi.

« Mais voyons... Vous le savez bien.

— Menteur ! Vous êtes tous des menteurs.

— Je vous en prie. Asseyez-vous là... Du calme... Racontez-moi ce qui vous arrive... »

C'était très simple et, dans une certaine mesure, prévisible, hélas ! Régine avait rencontré Gaubrey dans un bar de la place Blanche. Gaubrey avait beaucoup bu et, comme il assommait Max, le barman, Max l'avait confié à Régine. « Tu pourrais peut-être te faire un peu de fric avec lui, avait-il soufflé à Régine. Je crois qu'il cherche un modèle. » Gaubrey avait supplié Régine de l'accompagner et, comme il avait du mal à tenir debout, elle l'avait aidé à regagner son atelier. Là, il avait encore bu et elle avait été obligée de le coucher. En le déshabillant, elle avait vu la cicatrice qu'il portait au bras gauche, et puis, elle avait découvert les traces encore fraîches de l'opération pratiquée à l'épaule.

« J'ai tout de suite reconnu le bras de René, dit-elle. Mais si on lui a pris son bras, c'est qu'il est vivant... Je m'en fiche qu'il ait un bras de moins, mais dites-moi où il est... »

Elle s'abattit sur le divan, la tête dans ses mains, et pleura sans retenue. Et moi, une fois de plus, j'étais devant un abominable cas de conscience. Cela devenait ma spécialité. Mais puisqu'ils étaient déjà sept à connaître la vérité, tant pis, ils seraient huit. Après tout, j'avais fait de mon mieux et si les impondérables — pour reprendre l'expression de M. Andreotti — menaçaient de détruire la conspiration, ce n'était point ma faute. Je mis la main sur l'épaule de Régine.

« Est-ce que vous pouvez me jurer que vous garderez le secret ? »

Ce mot produit toujours sur les femmes un effet magique. Régine se redressa, prit mon mouchoir pour s'essuyer les yeux.

« Il n'est pas mort, n'est-ce pas ? balbutia-t-elle.

— Si... au sens où vous l'entendez, il est bien mort.

— Mais... il n'y a pas deux façons d'être mort.

— Justement... Il y a peut-être, maintenant, deux façons d'être mort. Vous me jurez que vous ne répéterez jamais... à personne... ce que vous allez entendre ?

— Je le jure.

— Très bien... Je vous demande d'être courageuse. »

Et je lui racontai les événements de ces dernières semaines. Elle était tellement abasourdie qu'elle ne m'interrompit pas une seule fois. De temps en temps, elle se passait la main sur le front d'un air égaré. Pour achever de la convaincre, j'ouvris pour elle le dossier, lui montrai la déclaration par laquelle Myrtil avait expressément fait don de son corps à la science.

« Mais alors... il ne m'aimait plus ? murmura-t-elle.

— Comprenez bien qu'il ne lui restait aucun espoir.

— Il n'a rien laissé pour moi ?... Aucune lettre ?

— Non... Il avait renié... son passé... tout. Il y avait, chez lui, comme un immense désir d'anéantissement, qu'il a d'ailleurs exprimé à plusieurs reprises.

— C'est absurde, dit-elle. On voit bien que vous ne l'avez pas connu. Lui ! Mais il était la vie même... Il avait envie de tout ce qu'il voyait. Il voulait tout, l'argent, les femmes, le pouvoir. Il ne devait avoir qu'une idée : s'évader à tout prix. Comment voulez-vous que je vous croie ?

— Il ne s'agit pas de me croire, mais d'en croire seulement vos yeux... Vous avez vu le bras gauche de Myrtil. Vous n'avez pas rêvé.

— Et... " les autres ", je peux les voir ?

— Quoi ?

— Oui... Ceux à qui on a greffé les membres de René ?... Je veux les voir. Sinon, je ne serai jamais sûre...

— Est-ce bien utile ?

— Vous n'avez donc jamais aimé personne ?... Puisque René est encore visible en eux, j'ai le droit de le voir.

— Écoutez-moi... Régine. Je pense que vous n'avez pas encore bien fait le tour du problème. Oui, Myrtil est encore visible, comme vous dites. Mais ce n'est plus lui... »

À la vérité, je ne savais comment lui expliquer que le corps qu'elle avait aimé, caressé, subsistait toujours d'une certaine façon, mais que ce qui faisait Myrtil avait disparu à jamais. Le moment était mal choisi pour lui donner quelques notions de métaphysique. Elle m'aurait envoyé promener, non sans raison.

« Sa tombe... c'est eux ! s'écria-t-elle. J'ai bien le droit d'aller prier sur sa tombe. »

J'avoue que ce cri du cœur me stupéfia. Avec sa simplicité de fille toute droite, elle avait résumé beaucoup mieux que moi la situation. Je m'inclinai.

« Soit. J'organiserai donc une rencontre... Mais je vous préviens ; ce sera très pénible. Pour vous, bien entendu... mais aussi pour eux. Car je serai contraint de leur dire ce que vous étiez pour Myrtil.

— Je n'en rougis pas.

— Non, bien sûr. Mais vous n'empêcherez pas les uns et les autres de penser, involontairement, aux relations qui ont existé entre vous... votre corps... et la part de Myrtil qui leur a été greffée... »

Je pataugeais. Je rougissais. Je ne réussissais pas à m'exprimer d'une manière assez objective, détachée, scientifique. Malgré moi, je soulignais ce que j'aurais voulu seulement indiquer... Et Régine ne faisait rien pour m'aider.

« J'aimerais savoir, dit-elle, ce que chacun a reçu en partage.

— Eh bien... le bras droit, c'est un prêtre, qui le possède. »

Elle pouffa, malgré elle.

« Il n'y a pas de quoi rire, dis-je.

— C'est à cause du tatouage... Lulu... René était très fier de ce tatouage. Un souvenir d'Algérie.

— J'espère que vous ne ferez aucune réflexion. »

Elle haussa les épaules.

« Continuez, dit-elle.

— La jambe gauche a été donnée à une femme, Simone Gallart.

— Non ?... C'est vrai ?... Mais c'est horrible ! »

Elle se remit à pleurer, sans qu'il me fût possible de savoir si c'était par désespoir ou par jalousie.

« La jambe droite appartient à un marchand de meubles... Étienne Éramble... La tête... on n'avait pas le choix... c'est un employé de banque qui l'a...

— Je deviens folle, fit Régine. Un employé de banque !... Jamais René n'aurait accepté cela.

— Le cœur, les poumons ont servi à sauver un étudiant, Roger Mousseron, quant au reste... Je dis bien : quant au reste... tout fut greffé sur un homme, Francis Jumauge, qui a essayé de se tuer tout à l'heure.

— Mon Dieu... Pourquoi ?

— Nous l'ignorons.

— Mais il n'est pas mort ?

— Non. On essaie de le sauver. Si vous voulez, je peux prendre de ses nouvelles ?

— Oh ! oui. Je vous en prie. »

Je formai le numéro de la clinique et appelai Marek, tandis que Régine s'emparait de l'écouteur. Ce fut un aide du professeur qui répondit.

« Il est perdu, dit-il. Nous avons tout essayé. Il n'y a rien à faire. Ce n'est plus qu'une question de minutes... Nous comptons sur vous pour les formalités. »

Je raccrochai rageusement. Encore une corvée. Ah ! non. J'en avais assez, à la fin.

« J'irai donc à l'enterrement, dit Régine. Je le ferai enterrer au cimetière de Pantin, décemment.

— Mais permettez !... Il ne vous appartient pas, tout de même. »

Nous nous regardâmes et nous soupirâmes ensemble.

« Excusez-moi, dis-je.

— Mais non, c'est moi qui m'excuse, fit-elle. Je

crois que je m'y perds un peu... J'ai besoin de me reposer, de réfléchir. »

Elle se leva et je l'accompagnai.

« Je vous tiendrai au courant, Régine ; c'est promis. Je suis désolé, sincèrement. »

Elle me tendit la main.

« Merci, fit-elle... Vous avez été très bon... Je n'oublierai pas.

— Voulez-vous que je vous appelle un taxi ?

— Non... La marche me fera du bien. »

Dès qu'elle fut partie, je me précipitai sur le téléphone pour avoir M. Andreotti. Je lui mis tout de suite le marché en main.

« Je renonce, dis-je. J'aime mieux démissionner. Cela ne peut plus durer. »

Et je lui résumai les événements survenus depuis notre dernier entretien.

« Mettez-vous à ma place, continuai-je. Cette femme savait déjà une partie de la vérité. J'étais bien obligé de la mettre au courant... Mais qui sait si demain une autre personne ne découvrira pas, à son tour, le pot aux roses ? Nous sommes débordés. À la merci d'une imprudence. Dans ces conditions, je ne peux plus me considérer comme responsable de ce qui arrivera.

— Oui, dit le préfet, dont je sentais l'embarras. Oui, je vous comprends parfaitement.

— Pourquoi ne pas révéler maintenant ce qui sera fatalement connu bientôt ?

— C'est impossible... Vous êtes seul, Garric ?... Bon. Je ne vous avais pas tout dit, par ordre. Mais il faut que vous sachiez tout... En réalité, toute l'affaire est coiffée par le ministère de la Défense nationale. Mais si, vous allez saisir... Avec nos quarante-huit millions d'habitants, nous sommes un petit pays, en comparaison des U.S.A., de l'U.R.S.S. ou de la

Chine. En cas de guerre, nous aurons la bombe, soit... Mais n'oubliez pas la saignée de 14-18 qui a failli nous être fatale. Or, grâce à la découverte de Marek, avec un mort pas trop abîmé, nous pouvons retaper cinq, six, sept blessés, récupérer cinq, six, sept soldats. Vous commencez à comprendre ? De cent mille morts, avec un peu de chance, nous tirerons sept cent mille nouveaux combattants. Cette opération " Hydre de Lerne ", c'est son nom de code, nous assurerait une supériorité écrasante, à condition, bien entendu, que le conflit dure suffisamment. Donc, pas question d'abandonner ! Si vous vous sentiez débordé, comme vous dites, nous interviendrions en force. Mais, pour le moment, il n'y a pas péril en la demeure, que diable ! Votre Jumauge s'est suicidé, tant pis ! Ce n'est pas grave, puisque cela ne découle pas directement de la greffe. Vous êtes chargé d'étudier les réactions de nos opérés, d'accord ! Mais vous devez voir tout cela d'assez haut, d'assez loin, vous comprenez ce que je veux dire ? Alors, répétez-vous que vous n'êtes pas seul, mon vieux. Que l'affaire a une portée mondiale, je n'exagère pas. Et que vous devez, plus que jamais, garder votre sang-froid et votre lucidité. Nous comptons sur vous, Garric ! »

Il raccrocha.

Je ne cesse de manger des pains au lait, des brioches, des tartelettes, du chocolat, pour voir cette fille.... Une gamine. Elle a ses cheveux dans le dos. Elle rit niaisement. Une tête à claques. Des fesses à claques. Je donnerais n'importe quoi pour... Voilà le genre d'images qui s'installent maintenant dans ma tête. Je voudrais être le maître de quelqu'un... totalement... je ferais un signe, il me comprendrait tout de suite... Pas besoin d'expliquer, de demander... Même les professionnelles se croient obligées de parler et je suis justement le type auquel personne ne sait parler.

Elle s'appelle Gertrude. Ses parents viennent des environs de Strasbourg. On ne voit presque jamais le père, un géant à tête de Pierrot ; la mère a toujours les bras encombrés de mioches. C'est Gertrude qui est à la caisse. Elle mâche de la gomme en écoutant un transistor. Elle porte un pull-over canari qui la serre ; sans doute la croissance ; peut-être ne se doute-t-elle pas que ce tricot la révèle avec une précision fascinante. Ses traits sont flous ; elle a une odeur de femelle et elle renifle comme un bébé. Je choisis longuement des caramels qui ont un goût de vaseline. Je lui en offre un.

« Vous êtes gourmand, me dit-elle, avec une sorte de provocation inconsciente.

— Oui, très... »

Nos conversations ne vont pas plus loin. J'emporte mes

caramels et j'essaie de m'occuper, mais, depuis cette opération, je n'ai plus envie de travailler. Je donne quelques leçons à de petits crétins qui ont été renvoyés de partout. Ils échouent ici, pleins de suffisance. Ils savent que c'est à moi de filer doux. Nous sommes complices. Ils ne font rien et j'envoie chez eux des bulletins de complaisance. Il y a, dans le lot, deux petites garces qui se laisseraient facilement approcher. La prudence me retient. Et puis elles ne me donneraient aucune émotion. Tandis que Gertrude !...

À quoi bon poursuivre cette lecture. Je me levai pour faire chauffer du café. Ma nuit était fichue. À cette heure, Jumauge devait être mort et ce carnet intime me parvenait trop tard. Je le repris, pourtant, à la recherche d'un indice qui m'expliquerait peut-être pourquoi Jumauge s'était tué... La suite, je l'avais déjà devinée : il avait patiemment manœuvré auprès de la mère... cette petite était intelligente; il serait facile de lui enseigner les rudiments du commerce... aujourd'hui, sans diplôme, on ne peut même pas vendre des journaux... Gertrude était venue chez lui...

Elle écrit d'une grosse écriture trop moulée. À mesure que sa main avance sur la feuille, sa tête se balance lentement. Volupté de s'appliquer, de bien dessiner chaque lettre. Volupté de sentir derrière soi la présence du maître. Elle respire doucement ; elle est éperdue de gratitude. Elle est à moi. Je ne tente aucun geste. Il me suffit de la frôler, de la respirer. Elle sent le blé. Elle est absente de ce que j'aime en elle. Dès qu'elle se trompe, elle rougit ; ses yeux deviennent humides. Ils sont presque beaux. Je lui fais commettre beaucoup d'erreurs, et elle me regarde avec crainte, avec respect. J'aimerais poser les lèvres sur ses paupières ; elles doivent être tièdes, lisses, palpitantes comme... je ne sais comme quoi ; je suis sûr que c'est indicible.

« Il faudra me relever ces cheveux, dis-je. Cela doit vous gêner pour travailler. »

Du doigt, je soulève des mèches raides et négligées. Elle ne bouge plus. Ce simple contact la fige. Je découvre une oreille lourde, enlaidie par un clip de pacotille.

« Et puis vous habiller autrement. Vous n'êtes pas à l'aise. »

J'effleure sa poitrine. Nous sommes pâles, tous les deux. Elle est consentante, comme le lapin devant le serpent. Je chuchote, maintenant :

« Recommencez-moi votre addition. 57 et 8, ça ne fait pas 66... Calculons mieux ! »

Je passe mon bras autour de ses épaules, et mes doigts font semblant de compter sur son sein : 8, 9, 60, 61, 63, 64 et 65... Je la sens qui s'appuie un peu sur moi. Elle lève la tête. Elle a un souffle douceâtre, et les dents mal tenues. Je la hais. Mes lèvres fouillent doucement. C'est fini. À partir de maintenant, ce n'est plus drôle. Son plaisir m'exaspérerait plutôt. Et puis, je trouve un peu scandaleux que cette gamine se trémousse ainsi. Elle ne va tout de même pas me donner des leçons. Petite salope !...

Jeudi. J'ai expliqué à sa mère qu'elle était vraiment trop en retard et qu'il vaudrait mieux la remettre à l'école. Cet après-midi, elle a sonné chez moi. Elle s'est glissée sous mon bras, devinant que j'allais refermer la porte. Elle suçait un bonbon anglais qui puait le salon de coiffure.

« Je crois que j'ai oublié ma trousse », m'a-t-elle dit, avec un aplomb qui m'a démonté.

Je l'ai suivie dans la classe. Elle n'a même pas pris la peine de chercher. Elle souriait, en me regardant.

« Maman m'a demandé ce que je vous avais fait pour que vous soyez fâché. Vous êtes fâché ? »

Elle s'était à demi assise sur une table, cambrant la poitrine et se balançant.

« Qu'est-ce que tu lui as raconté ? »

Elle eut un petit rire de gorge, écarta les cheveux qui lui couvraient un œil. Je compris la menace et elle dut sentir que j'avais peur, car elle rit un peu plus fort, comme si elle venait d'inventer un jeu plein d'imprévu.

« C'est vrai que vous ne voulez plus de moi ? »

Elle savait, d'instinct, jouer sur les mots, s'amusait de me rendre furieux, à volonté. Je serrai les poings.

« Si vous me battez, je le dirai. Papa est fort, plus fort que vous !

— Va-t'en, tout de suite !

— Il ne sera pas content. Il est méchant, quand je pleure. Il vous défendra de m'embrasser... »

Elle faisait l'enfant et ses yeux, terriblement avertis, me guettaient. Je n'étais plus rien, pour elle, qu'un pauvre homme qui devait céder, qui allait céder. Je tendis les mains. J'aurais aussi bien pu l'étrangler. Mais elle se rendait bien compte que je capitulais. Elle ouvrit la bouche ; ses narines se pincèrent. Elle gémit avant même que je la touche.

Vendredi. Elle est revenue. Elle prend plaisir à me narguer, à me parler de son père qu'elle décrit comme une espèce d'ogre. Elle ment avec délices. Comment a-t-elle compris que tout au fond j'étais un faible ? Mais peut-être ne l'a-t-elle pas compris ? Peut-être a-t-elle peur, elle aussi ? Elle vient jouer, avec moi, à avoir peur. Nous faisons l'amour comme des condamnés. Dès qu'elle est partie, je me précipite sous la douche. Je suis gâté comme un fruit blet. Un jour, fatalement, nous serons surpris. Ou bien elle laissera échapper quelque parole... Le plus triste, c'est que, maintenant, je ne peux plus me passer d'elle. Ce matin, déjà, je l'attendais. Comme elle tardait, je suis allé acheter un pain. Elle lisait un illustré, et m'a servi avec ennui, comme un client qu'elle n'aurait jamais vu. Elle me connaît à fond, et moi je suis devant elle comme devant une bête dangereuse qu'il faut se garder d'inquiéter. Elle finira par me saigner. N'empêche ! Dès qu'elle est partie, je la cherche. Je suis incapable de me faire même à manger. Je marche sans but, dans la maison ; je passe mon temps à me rappeler ses gestes, ses cris et j'ai envie de hurler. Si ça continu[illegible] autant en finir. Le plus vite possible. Sinon, c'est la cour d'assises.

Samedi. Elle a inventé une variante. Elle arrive : « Vite, vite, papa m'attend. » Elle se déchaîne mieux quand je lui fais violence. Après, elle s'attarde et je meurs d'inquiétude. « Allez, file ! » Elle n'a plus envie de se dépêcher.

« Qu'est-ce que ça peut faire, dit-elle, puisque, de toute façon, on se mariera. »

Elle a dit cela avec la niaiserie d'une idiote gavée de romance. Mais elle le pense.

« Tu vas te faire attraper.

— Vous aussi, peut-être bien. Ça ne vous plairait pas que ?...

— Tu es trop petite ! »

Elle pouffe, puis secoue la tête d'un air sérieux de femme qui a longuement pesé le pour et le contre.

« Ce n'est pas une vie, dit-elle. Toute la journée à servir des pains. Essayez donc. Vous verrez ! »

Elle regarde autour d'elle, avec ses yeux sans âge.

« Je serai bien, ici. »

Elle ajoute :

« Je sais faire la cuisine, la lessive, le ménage. »

Écœurant. Je la mets dehors, mais, avant de sortir, elle me plaque sur la joue un baiser d'épouse. La garce ! Elle ne m'aura pas !

Le manuscrit s'arrêtait là. Je le rangeai soigneusement. Mon dossier s'étoffait de plus en plus et je commençais à penser qu'il allait devenir énorme si les autres, à leur tour, cédaient à l'étrange contagion. Car il y avait, dans le cas de Jumauge, quelque chose qui échappait à l'analyse. Je comprenais bien ce qui lui était arrivé. C'était assez clair. Mais la part de Myrtil, en tout cela ? Elle existait. Pourtant, elle ne se laissait pas isoler. Elle agissait en sous-œuvre, comme un ferment. Demain, ce serait au tour de Nérisse, de Gaubrey, de sombrer dans quelque obsession... J'avalai un somnifère et m'endormis, non sans mal.

Le lendemain, à la première heure, je téléphonai à la clinique. Marek m'apprit que Jumauge était mort un peu avant minuit. Sans plus tarder, il avait pratiqué l'autopsie. La greffe n'était pas en cause. Elle avait parfaitement réussi. L'organisme ne présentait aucun signe de « rejet ». Donc, il fallait chercher les causes du suicide dans le passé de Jumauge. Marek concluait en disant que le tri des blessés avait été trop hâtif. Une autre fois, il faudrait prendre plus de précautions, sélectionner plus soigneusement les candidats à la greffe.

« J'ai lu les notes qu'il a laissées, dis-je.

— Bah ! Des notes, ce n'est pas scientifique, répondit Marek. Je ne peux pas garder le corps ici bien longtemps. Est-ce qu'on pourrait l'enterrer demain ?

— Cela me paraît un peu court. Il y a des formalités...

— Toujours des formalités, grommela Marek. On n'entend parler que de ça, ici... Après-demain, alors ?

— J'essaierai. »

Il en avait de bonnes, le professeur ! Je passai la journée en démarches, en visites. Je commençai par téléphoner à la mère de Jumauge. On me répondit qu'elle était souffrante depuis plusieurs semaines et ne pourrait se déplacer. Dois-je ajouter que j'en fus grandement soulagé ! Il me fallut ensuite m'entendre avec les pompes funèbres, discuter, courir à droite et à gauche. Heureusement, l'abbé me donna un sérieux coup de main. Il répugnait à l'idée d'un enterrement civil.

« Le pauvre Jumauge n'était pas dans son état normal, vous êtes bien d'accord ?... Où l'enterre-t-on ?

— Au cimetière de Pantin.

— Bon. Je célébrerai une messe à la clinique et dirai les prières sur sa tombe. Tout cela n'est pas régulier. Si mes supérieurs apprennent la vérité!... et ils l'apprendront, forcément!... Je ne pourrai pas toujours me taire!

— Allons, l'abbé. Ne recommencez pas!... Vous aussi, vous avez des idées fixes, ma parole! »

Je n'oublierai pas de sitôt cet enterrement. Nous nous rendîmes à la clinique. Le cercueil était exposé, sous sa draperie noire, dans la pièce où l'Amicale s'était réunie. Des cierges brûlaient. Les arrivants avaient tous des visages consternés; Nérisse, seul, manquait à l'appel. La mort de Jumauge lui avait porté un coup et il reposait, bourré de calmants. On parlait bas. Gaubrey avait bu. Il s'adressait des discours, ponctués de hochements de tête. Mousseron n'était pas content.

« Je ne le connaissais pas, moi, ce type-là! disait-il à qui voulait l'entendre. Je n'ai pas de temps à perdre. J'ai une répétition. Croyez-vous que ça va durer longtemps? »

Éramble était plus discret mais paraissait tout aussi contrarié. Il se tenait tout près de Simone Gallart et répétait : « Le moment est bien mal choisi... bien mal choisi... » Je lui demandai pourquoi. Il m'expliqua, d'un air gêné, que Simone et lui étaient fiancés, depuis la veille, et que ce deuil survenait bien mal à propos. Je n'eus pas la force de le féliciter. Là-dessus, Régine arriva et il se fit un grand silence. Je ne savais plus par où commencer. L'abbé avait froncé les sourcils et je regrettai de ne pas l'avoir mis au courant, la veille. Mais il m'aurait assassiné d'objections et j'en avais assez d'être toujours attaqué.

« Voilà..., dis-je. René Myrtil avait une... une amie qui lui était très chère. Je vous présente Mlle Régine Mancel. »

Tout cela sonnait affreusement faux.

« Mlle Mancel a découvert, par hasard, une partie de la vérité et j'ai dû la mettre au courant, après avoir obtenu sa promesse de garder le secret.

— C'est le secret de polichinelle, murmura Mousseron.

— Naturellement, elle avait le droit d'assister aux obsèques de notre ami Jumauge puisque... Évidemment, Jumauge lui était absolument inconnu, mais si nous, nous enterrons Jumauge, elle, c'est différent mais non moins légitime, elle enterre... une partie de Myrtil... »

Mousseron ricana. L'abbé le regarda sévèrement. J'enchaînai avec précipitation :

« Ce n'est ni sa faute ni la nôtre si les circonstances sont aussi insolites. De nous tous, vous reconnaîtrez que c'est elle qui est la plus directement touchée par... par l'événement. »

Je sentis que je m'enferrais et procédai aux présentations... Madame Gallart... Monsieur Éramble... Monsieur Mousseron...

« Le cœur et les poumons, précisa Mousseron.

— Taisez-vous donc, lui soufflai-je.

— Dame ! Il faut bien qu'elle sache.

— Elle sait. »

Mousseron devint cramoisi ; j'eus l'impression qu'il étouffait un irrépressible fou rire et m'éloignai aussi vite que possible.

« Olivier Gaubrey... Oh ! pardon, c'est vrai que vous le connaissez déjà.

— Un peu, dit-il, d'une voix enrouée.

— Et enfin, l'abbé Leviret... Je m'excuse, monsieur l'Abbé... Je n'ai pas eu le temps de vous prévenir.

— Laissez, dit-il, d'une voix triste. Au point où nous en sommes !

— Et l'autre ?... fit Régine. Celui qui a... la tête ?

— Il est souffrant.

— Pourrais-je le voir ?

— Plus tard. Je vous le promets. »

D'instinct, ils s'étaient rassemblés, à l'écart, formaient un groupe hostile et je restai seul avec Régine, me sentant au bout de mon rouleau. L'abbé sauva la situation en commençant à célébrer le cérémonial funèbre. Ils chuchotaient, derrière moi, mais ce n'était certainement pas des prières. Je les entendais qui se levaient, s'asseyaient. Le poids du scandale m'écrasait les épaules. Mais pouvais-je agir autrement ? Régine, d'ailleurs, était parfaitement digne et recueillie. Simplement, elle priait pour Myrtil quand l'abbé priait pour Jumauge. Moi, je priai pour les deux, puisque, en fait, ils étaient comme deux dans le cercueil.

Il me revenait des bribes de la confession de Jumauge. Le malheureux ! Il avait choisi la meilleure solution ! Soudain, je m'avisai que les autres m'avaient à peine questionné sur les circonstances de son suicide. Ils étaient hantés par leur propre cas. L'Amicale ! Dérision ! Peut-être que ce qui aurait dû les unir allait les diviser et que, bientôt, ils ne pourraient plus se supporter. Mais alors, Éramble et Simone ?... L'abbé dit l'absoute et se tourna vers nous :

« Francis Jumauge nous quitte. Mais n'allez pas croire, surtout, que sa disparition a un rapport quelconque avec l'opération qu'il avait subie. Notre infortuné ami souffrait d'un certain déséquilibre et se serait vraisemblablement détruit dans tous les cas. En mourant, Jumauge emporte un peu de ce qui fut Myrtil. Associons-les dans nos prières. Qu'ils reposent en paix. »

Il se signa et les croque-morts entrèrent. Quand le cercueil eut été poussé à l'intérieur du fourgon, l'ordonnateur ouvrit la portière :

« La famille », dit-il.

Nous n'avions pas pensé à ce détail. Tous les greffés étaient de la famille, en somme. Mais Régine, grave et douloureuse comme une veuve, monta d'autorité et personne n'osa la suivre. Mousseron prit Gaubrey par le bras.

« Il vient avec moi... déclara-t-il. Faites-moi confiance.

— Le professeur ne nous accompagne pas ? observa Éramble.

— Non. Il doit s'occuper de Nérisse.

— Alors, je vous emmène. »

Nous roulâmes derrière le corbillard, en silence. Pour rompre la gêne, je me penchai vers Simone :

« Vous êtes choquée, n'est-ce pas ? À cause de Régine.

— C'est vrai, avoua-t-elle. D'abord, ce n'est pas convenable, franchement... Et puis, entre cette femme et nous, il y a maintenant... vous comprenez ?... une espèce de complicité, quelque chose de pas net, de pas propre... Est-ce qu'on va l'avoir toujours sur le dos ?

— Il me paraît bien difficile de la tenir à l'écart.

— Vous voulez dire... que nous représentons son amant ? »

Éramble, qui avait entendu, leva une main au ciel.

« C'est impensable ! s'écria-t-il. Alors, d'après vous, nous devrons l'inviter à notre mariage ? »

Évidemment, nous nous enfoncions dans l'absurde.

« Qu'en pensez-vous, l'abbé ? »

L'abbé joignit les mains, en un geste d'impuissance et de résignation.

« Enfin, dit Simone avec colère, elle n'a aucun droit sur nous !

— Oui et non, fit l'abbé, pensif. Les époux ne font qu'une seule chair !

— Mais c'est le sacrement qui consomme l'union... Puisqu'ils n'étaient pas mariés !...

— Il y a aussi l'intention, dont il faut tenir compte. Elle considère que seules les circonstances ont empêché son mariage. Se tenant pour sa femme, elle a... elle a...

— N'ayez pas peur des mots, lança Éramble, furieux. Elle a un droit de regard sur nous. Eh bien, jamais, mes jambes sont à moi.

— Pardon, dit Simone.

— Excusez-moi, me reprit Éramble. Je voulais dire : ma jambe, bien entendu. Mais peu importe ! Je n'accepterai jamais que cette personne ait l'air de croire que quelque chose de moi lui appartient. Où irions-nous ?... »

J'échangeai avec l'abbé un regard navré. Simone Gallart tira sa jupe et se rencogna, maussade. Nous nous tûmes, jusqu'au cimetière. L'inhumation fut rapide. Une dernière fois, je plaignis Jumauge. Les assistants ne pensaient certainement qu'à Myrtil et je me demandai s'ils ne commençaient pas à se sentir atteints dans leur chair. Régine fit quelques pas en arrière, s'arrêta au bord de l'allée. Ce fut Gaubrey qui donna l'exemple. Il lui serra la main et murmura ses condoléances. Les autres suivirent. Nous nous retrouvâmes à la sortie.

« Je vous dépose quelque part ? me proposa Éramble.

— Non, merci. Je vais raccompagner Mlle Mancel. »

Il n'insista pas et nous nous séparâmes. Je remontai l'allée, cherchant Régine. Elle était revenue devant la tombe où les croque-morts achevaient de déposer les fleurs et les couronnes. Il y en avait deux. L'une portait : *À notre ami,* c'était celle de l'Amicale. Et l'autre : *Regrets éternels*.

Régine avait suivi mon regard et deviné, sans peine, ma pensée.

« Oui, dit-elle, éternels. Dans un cimetière, on n'a pas l'habitude de mentir. »

Elle avait des formules qui, tout à coup, m'imposaient silence. Je l'entraînai doucement.

« Je veux retourner à la clinique, reprit-elle. Je vous en prie, monsieur Garric. Je veux voir celui qui a la tête... Comment s'appelle-t-il ?

— Nérisse... Albert Nérisse.

— Oui... J'ai besoin de le voir. Cela m'aidera à supporter... Je croirai qu'il me reste quelque chose.

— Je ne sais pas si le professeur acceptera. Ce matin, Nérisse n'était pas très bien.

— Je vous en prie, monsieur Garric. »

Je ne savais pas lui résister. J'appelai un taxi et la fit monter.

« Ils m'en veulent, n'est-ce pas ? Oh ! je l'ai bien senti. Je les dérange. Pourtant, je ne leur ai rien volé, moi ! »

Je pris sa main et la serrai avec amitié.

« Vous êtes injuste, dis-je. Personne n'a rien volé à personne. C'est Myrtil, ne l'oubliez jamais, qui a voulu cela...

— On a dû le droguer, l'obliger à signer n'importe quoi... René était bien trop fier de son corps... Il était beau, si vous saviez !... »

Elle éclata en sanglots. J'avais beau lui répéter que Myrtil avait agi librement, qu'elle avait lu sa déclaration, qu'il n'y avait plus à revenir là-dessus, elle ne voulait rien entendre. Je la laissai se calmer. Devant la clinique, elle se repoudra, se refit un visage présentable.

« Tenez-vous bien, lui recommandai-je. Si vous ne vous maîtrisez pas, Marek ne vous permettra plus jamais d'entrer. »

Le professeur était dans son bureau. Il examina soupçonneusement Régine.

« Nérisse dort, dit-il. Ses migraines l'épuisent. Vraiment, je ne comprends pas... Vous voyez, je suis en train, justement, de rédiger mes observations. Il est possible que nous ayons été trop vite... Aussi, je lui ai refait un plâtre... Si vous me promettez de ne pas parler, de lui jeter un coup d'œil en vous sauvant...

— À la sauvette, dis-je pour Régine.

— Oui, exact... Alors, je tolère trois minutes. »

Il sonna. Un infirmier nous conduisit à la chambre. J'étais ému de l'émotion de Régine, que je dus soutenir. Je la poussai vers le lit.

« Mon Dieu ! » balbutia-t-elle.

Nérisse, les yeux clos, les bras le long du corps, des compresses sur le front, semblait mort. Les ongles de Régine s'enfonçaient dans mon poignet.

« Il s'est laissé pousser la barbe, soufflai-je.

— Quand même... Je le reconnais... c'est bien lui... René.

— Chut ! »

Déjà l'infirmier, fermement, nous refoulait. Je crus que Régine allait s'évanouir. Je l'entraînai devant une fenêtre ouverte.

« Là, là... mon petit... Remettez-vous.

— C'est René, dit-elle. Enfin, vous vous rendez compte que c'est René.

— Mais non... C'est sa tête, d'accord. Seulement, c'est Nérisse qui l'habite. Je sais... Au début, j'étais comme vous. Je ne voulais pas admettre le fait. Pourtant, il n'y a aucun doute. D'ailleurs, quand il ira mieux, quand vous-même serez obligée de vous rendre à l'évidence. Il vous recevra comme une étrangère, vous parlera comme à une inconnue. Ce sera dur !

— C'est épouvantable !

— Disons : surprenant. À la réflexion, ma foi, on s'y fait. »

Mais Régine était trop bouleversée pour réfléchir.

« Voulez-vous venir chez moi vous reposer? lui demandai-je. Nous aurons tout le temps de parler. J'essaierai de vous expliquer mieux... »

Elle accepta et le taxi nous emmena. Je racontai à Régine toutes les expériences auxquelles Marek s'était livré; je lui répétai les propos qu'avait tenus Nérisse. Je voyais bien qu'elle me croyait et que, pourtant, elle restait incrédule. Je l'installai au salon et lui offris un whisky dont elle avait grand besoin. Je lui relus mes notes.

« Comme vous vous donnez de la peine, dit-elle. Vous êtes gentil.

— Mais non, Régine. Il ne s'agit pas de ça... Je cherche à vous faire comprendre que... »

Je perdais mon temps. Elle n'était pas douée pour la méditation philosophique.

« Interrogez l'abbé, insistai-je. Il suit cette expérience avec l'intérêt que vous devinez.

— Ainsi René est mort!... »

Sa voix se brouilla et je crus que tout allait recommencer. Mais elle se domina et poursuivit :

« Qu'est-ce que je deviens, moi, là-dedans? Je n'ai pas l'intention de m'imposer. Croyez-vous qu'on m'accordera de revoir René... Je veux dire Nérisse? Les autres m'intéressent moins. Éramble est laid. La Gallart est une pimbêche.

— Ils vont se marier. »

Elle détourna les yeux.

« Cela aussi, il faut bien que je l'accepte, soupira-t-elle. René souffrait de sa cicatrice, quand le temps changeait. Je lui massais la jambe. Enfin!...

— Il y a Gaubrey, dis-je. Celui-là, j'aimerais bien que vous ne le perdiez pas de vue.

— Gaubrey? Vous ne savez pas ce qui lui est arrivé?... C'est vrai! Avec tous ces événements, je ne sais plus où j'ai la tête... On va lui faire une exposition. Oui, quelque chose même d'assez important. Il a montré ses toiles, ce qu'il appelle sa nouvelle manière, à un directeur de galerie, et l'autre s'est emballé, tout de suite.

— Pas possible! Il aurait pu me prévenir!

— Il déraille complètement. Pauvre Olivier! Avant, il buvait par désespoir. Maintenant, il boit par enthousiasme. Il ne se connaît plus. Ajoutez qu'il a déjà touché un assez gros paquet.

— Mais quand est-ce arrivé?

— Il y a deux ou trois jours. Je l'ai trouvé dans son atelier qui dansait tout seul. Il m'a montré son bras gauche et il m'a dit : " Il y a une fortune dans cette patte. " C'était le bras de René! »

Ses yeux se mouillèrent, mais elle continua.

« Il a pris un pinceau et il a tracé des espèces de courbes de toutes les couleurs. Ça n'avait ni queue ni tête mais, au total, ce n'était pas déplaisant. Il m'a dit : " Tu sais comment je vais appeler ça?... Galaxie! Ce qui les excite, c'est le titre. Le gars prétend que je peins l'hyperespace. Je lui dois tout, à ton Myrtil... " Alors, je l'ai giflé.

— Quoi?

— Il m'a mise à la porte. Et puis, c'est tout. Je ne veux plus avoir affaire à lui.

— Régine, dis-je. Vous n'y pensez pas. Mais il faut veiller sur lui, au contraire. C'est une catastrophe! »

C'était une catastrophe. Je devais m'en apercevoir quelques jours plus tard.

Je voulus en avoir le cœur net. J'avais encore dans l'oreille les paroles de Régine et ce qu'elle m'avait dit était proprement incroyable. La Galerie Massart est l'une des plus importantes de la rive droite. Je n'ai jamais été un connaisseur, ni même un amateur éclairé, mais enfin je ne suis pas non plus un nigaud et le brusque succès de Gaubrey me semblait bizarre. Régine avait peut-être exagéré. Je fus reçu avec beaucoup d'empressement par un homme qui, après m'avoir piloté à travers des salles où dominait le non-figuratif, m'introduisit soudain dans un bureau de style américain.

« Gaubrey ? me dit-il. Je peux vous parler franchement ?

— Je vous en prie... Je suis chargé de suivre la rééducation de Gaubrey qui, vous le savez, a dû subir une légère intervention à la main gauche... Mais je n'ai aucune autre raison de m'intéresser à lui.

— Eh bien, Gaubrey peut durer deux ou trois ans, en tant que peintre, bien entendu.

— Mais... a-t-il du talent ? »

Massart me regarda, l'œil mi-surpris, mi-amusé et poussa vers moi un coffret plein de cigarettes blondes.

« Le talent ?... murmura-t-il... J'ai cru savoir,

autrefois, ce que c'était... Maintenant, il y a ce qui se vend et ce qui ne se vend pas. Gaubrey peut se vendre, le temps que durera le choc, la surprise. Je suis là pour attiser l'engouement. La peinture, c'est comme un feu de forêt. Tout d'un coup, ça flambe, l'incendie galope, la fumée se voit de très loin, les prix montent en flèche... Quand le feu ne prend pas tout seul, c'est moi qui jette l'allumette... Avec Gaubrey, je vais organiser un petit feu de broussailles. Ça n'ira pas très loin, mais on ne sait jamais.

— Mais après ? dis-je. Quand Gaubrey ne se vendra plus ?

— Cher monsieur, je vis à court terme, comme tout le monde aujourd'hui. J'espère que Gaubrey est assez intelligent pour ne pas se poser trop de questions !... S'il a encore des illusions, conseillez-lui de changer de métier.

— Est-il vrai que vous songiez à faire une exposition de ses œuvres ?

— C'est parfaitement vrai. Dans six semaines exactement, le temps qu'il produise une trentaine de tableaux... S'il ne boit pas trop ! Vous devriez bien l'empêcher de boire... encore que ça ne déplaise pas tellement à mes clients. La légende, vous savez !... Le peintre désespéré qui n'arrive pas à maîtriser sa main gauche... Pour la publicité, c'est déjà d'une efficacité que vous n'imaginez pas. Gaubrey devra tout à sa main gauche. »

Je sortis de la galerie assez secoué. La phrase de Massart me trottait dans la cervelle : Gaubrey devra tout à sa main gauche. J'avais vraiment besoin d'un confident. C'est pourquoi je me rendis chez l'abbé. Je le trouvai dans sa chambre, au presbytère. Il faisait une page d'écriture. En me voyant, il sourit tristement. Je contemplai sans comprendre les majuscules tracées patiemment, les boucles un peu tremblées des B, des G, des P.

« Au début, dit-il, j'ai cru que je n'y arriverais pas. Maintenant, ça va beaucoup mieux.

— Mais voyons !... Vous n'avez pas pu réussir du premier coup ? On n'oublie tout de même pas ce qu'on a appris à l'école. L'écriture, c'est automatique !

— Bien sûr. Mais quand vous êtes obligé de tenir un crayon avec des doigts qui ne sont pas les vôtres, quand vous avez une main qui se pose sur le papier d'une façon qui lui est personnelle, tout devient problème. En commençant, je crevais le papier. Il y a une force, dans ce poignet, qui ne se laisse pas manœuvrer facilement... Je ne vous ai rien dit... à quoi bon ! Vous ne pouvez rien pour moi, n'est-ce pas ? J'ai beaucoup prié. »

Je lui racontai ma visite à la galerie. Il réfléchit un moment.

« Je crains bien, dit-il, que nous ne soyons tous un peu des victimes. J'ai beaucoup pensé à notre cas. En vérité, je ne fais pas autre chose. Et savez-vous pourquoi j'ai résolu, finalement, de ne rien dire à mes supérieurs ?... Imaginez que le public soit mis au courant ! Gaubrey, du jour au lendemain, connaîtrait la gloire !... Mousseron aussi... Moi-même, dès que je monterais en chaire, l'église serait pleine de curieux. On ne tarderait pas à prétendre que j'ai la main du miracle... On ferait de nous des surhommes, des prophètes et des thaumaturges. Personne n'y résisterait, pas même moi... Voyez déjà ce qui est arrivé au pauvre Jumauge ! Non... Coûte que coûte, nous devons nous taire, en espérant que le Seigneur aura pitié de nous.

— Vous n'êtes pas très gai, ce matin, dites donc !

— C'est que je vois de mieux en mieux les conséquences... Avez-vous des nouvelles d'Éramble ?

— Non... Tout ce que je sais, c'est qu'il a l'intention d'épouser Simone. Vous les marierez. De ce côté, je crois que tout va bien. »

L'abbé soupira et regarda l'heure.

« Excusez-moi, j'ai rendez-vous avec mon curé. »

Je le quittai, sans avoir trouvé auprès de lui le réconfort que j'attendais. Il y avait un paquet à mon adresse, sur la boîte aux lettres. Il m'était envoyé par Mousseron. Je déchirai le papier. Il contenait un disque dans sa pochette et une énorme dédicace, au crayon gras : *À Monsieur Garric. Très amicalement.* Son premier disque ! Je courus le mettre sur mon électrophone. Je ne suis pas un fanatique de jazz mais, honnêtement, je devais reconnaître que ce n'était pas mal. Le saxophone de Mousseron avait acquis une sorte d'enrouement pathétique... c'était une voix blessée qui suggérait d'obscurs regrets, qui racontait des histoires d'ailleurs... comme si Myrtil... Allons ! Qu'est-ce que j'étais en train de penser ! J'arrêtai l'électrophone et me surpris tenant un verre plein de whisky. Moi aussi, depuis quelque temps, j'avais tendance à abuser des remontants. Je reposai le verre et m'obligeai à travailler un peu. D'abord je rédigeai une nouvelle note puis il me parut qu'il ne serait pas mauvais de réunir chez moi l'Amicale. Ce serait plus intime qu'à la clinique et nous ne serions pas poursuivis par le souvenir du cercueil de Jumauge. J'allais sortir pour poster mes lettres quand on sonna. Je fus très surpris de voir Simone Gallart.

« C'est de la télépathie, ma parole, dis-je. Je songeais à vous, voici la lettre que je vous destinais... »

Je la conduisis au salon et l'installai dans un fauteuil.

« Un petit whisky ? Un Cinzano ?

— Non, merci, fit-elle, je n'ai pas le cœur à boire. »

Et elle attaqua tout de suite :

« Je ne veux pas épouser Éramble.

— Vous vous êtes querellés ?

— Oh ! non. Simplement, c'est impossible, voilà tout.

— Mais pourquoi ?

— C'est vous qui me posez cette question ? »

Elle releva légèrement sa jupe et tendit sa jambe gauche.

« À cause d'elle, bien sûr ! »

Je remarquai que la jambe était soigneusement rasée. Elle n'en paraissait que plus musclée et noueuse. Autant la droite était fine, lisse, délicatement galbée sous le bas transparent, autant celle-ci semblait ficelée de tendons.

« C'est comme si je mettais une voilette à un catcheur ! dit Simone.

— Non, quand même !

— N'essayez pas d'être gentil, monsieur Garric. La vérité, c'est que je ne suis plus une femme. Quand je sors en pantalon, ça me révolte. Et quand je mets une robe, je suis monstrueuse. »

Je me tus, incapable de trouver une parole de consolation. J'étais le complice de ses tourmenteurs. Elle le savait.

« Mes relations avec Étienne, reprit-elle, me donnent des cauchemars. Mais d'abord, je ne l'aime pas et je ne l'aimerai jamais. C'est un mou, un tiède, un confortable. Il ne mérite pas sa jambe !...

— Pardon !... Je ne vous suis pas très bien.

— J'accepterai un doigt de Cinzano... Tout cela me rend folle. »

Je la servis. Elle était crispée, mais froide, brave

comme quelqu'un qui, pour vaincre le vertige, se force à regarder le vide.

« Au fond, dit-elle, c'est... Myrtil que j'aime... Si vous étiez une femme, vous me comprendriez à demi-mot. J'ai longtemps lutté... Mais c'est plus fort que moi. J'ai lu les journaux de ces dernières années, je connais maintenant sa vie par cœur. Et quand je pense que quelque chose de lui vit en moi... Tenez, c'est comme si cette jambe était notre enfant... Vous n'avez pas souri, merci. Je me rends compte que tout ce que je dis n'a aucun sens et pourtant c'est bien ce que je ressens. Je suis fière de la montrer, cette jambe ; si on me regarde, tant pis, ou plutôt tant mieux... C'est Myrtil qui passe. Vous voyez ?

— J'essaie !

— Non, évidemment. Personne ne peut se mettre dans ma peau. Chez moi, souvent, je me déshabille complètement, je me contemple dans les glaces... Je lui demande pardon. La cuisse est belle, comme celle d'un marbre grec. Et il a fallu qu'on l'entoure de féminité, qu'on l'affadisse, qu'on la ridiculise... Je la déguise avec un bas, une jarretelle... c'est insoutenable...

— Mais, tout à l'heure, vous disiez...

— Je sais... Je suis une contradiction vivante. Mais c'est vrai aussi que je me dégoûte, que j'ai honte d'être une espèce de prostituée... ce n'est pas moi qui ai sa jambe. C'est sa jambe qui m'a !

— Calmez-vous, voyons, ma chère amie.

— Oh ! N'ayez pas peur. Je ne suis pas du tout exaltée. Je vous dis ce qui est, un point c'est tout. J'essaie de vous faire comprendre pourquoi je ne pourrai jamais vivre avec Éramble. Il fait le faraud avec la jambe de Myrtil, c'est comme s'il avait acheté un chien avec pedigree. Il est incapable de sentir les choses. J'ai envie de le gifler quand il parle de sa jambe comme d'un objet rare. Il a une mentalité de propriétaire. Mais le pire, c'est qu'il voudrait s'annexer la mienne, exactement comme un commerçant qui cherche à s'agrandir. Ça jamais ! »

Elle prit son verre, le reposa sans boire, les yeux dans le vague.

« Après tout, continua-t-elle, je peux bien aller jusqu'au bout. Pardonnez-moi si je vous choque. Oui, nous avons passé une nuit ensemble. Je n'ai rien connu de plus affreux. Je reconnais que je ne suis peut-être pas très douée pour l'amour. Mais je sens qu'avec un homme comme Myrtil... Bref, ce n'était pas René ; c'était Étienne ! Et pourtant, ce n'était pas Étienne tout seul, vous comprenez ! Essayez d'imaginer une sorte de ménage à trois, au sens le plus strict. J'ai cru mourir. Et après !... Il aurait pu me caresser, moi ! Non, il ne se lassait pas de toucher la cuisse qui allait lui appartenir par alliance. Cela le faisait rire, l'immonde !... C'est lui qui m'a rasée, de sa main. J'entends encore grincer la lame. Ensuite, il y avait, sur le lit, deux jambes identiques, séparées par nos deux corps. L'une était virile, poilue, comme une noix de coco, et l'autre était imberbe, profanée. Il avait osé. Je me demande s'il ne prenait pas une espèce de revanche sur Myrtil. Vous savez, le peuple, après une émeute, qui couche dans le lit du prince... Cet homme est bas.

— Lui avez-vous dit vos intentions ?

— Pas encore. J'ai voulu vous voir avant. Je n'ai plus guère de courage. Si vous pouviez lui parler à ma place !

— Moi, que je...

— Vous saurez lui suggérer qu'il vaut mieux renoncer... Plus tard, quand le professeur nous permettra de vivre à notre guise, je quitterai Paris.

— Vous devriez consulter Marek... Il vous soignerait. Et puis, il trouvera peut-être le moyen, dans un avenir pas trop éloigné, de vous greffer une autre jambe. »

Elle se dressa, soudain furieuse.

« Surtout pas !... Jamais on ne nous séparera.

— Mais naturellement, dis-je, conciliant. Il n'est pas question de vous forcer la main. Cependant, ne pensez-vous pas qu'il conviendrait d'expliquer à Marek ce que vous ressentez ?... Certains de vos sentiments sont un peu... morbides, il me semble. Laissez-moi faire. Je parlerai à Éramble et au professeur. Rentrez chez vous. Reposez-vous. Je vous tiendrai au courant. »

Je la raccompagnai, plus ému que je ne voulais le paraître. Dès qu'elle fut partie, je téléphonai à Marek qui écouta mon récit avec son sang-froid habituel.

« Je connais ce genre de femmes, dit-il. Leur moi ne fait plus qu'un avec leur corps. Modifiez-leur le nez, ou la joue, et vous touchez à ce qu'elles sont. C'est parce qu'elles ont besoin d'éprouver des sentiments neufs qu'elles nous demandent de corriger... leur visage. Cette fois, nous sommes allés un peu loin, mais je vais arranger ça. »

Je convoquai, ensuite, Éramble, tout en maudissant une fois de plus Andreotti qui me faisait jouer les valets de comédie. Mais ces pincements d'amour-propre n'étaient rien en comparaison de l'angoisse qui me gagnait. J'avais eu devant moi une femme ivre de rancune, pleine de violence contenue. Nos opérés devenaient, l'un après l'autre, des frénétiques. Tout se passait comme si la partie greffée agissait à l'égal d'un ferment, libérant en eux une sorte de volonté de puissance qui activait dangereusement leurs ressentiments. Le greffon était trop fort pour eux. Jumauge, additionné de Myrtil, avait littéralement fait explosion. Gaubrey, maintenant, était en passe de devenir un monstre sacré. Quant à Simone !... Et pourtant, je ne pouvais m'empêcher, tout au fond de moi, de juger stupides de telles idées, qui contredisaient tout ce que j'avais appris. Je bus un peu de Cinzano. Ce qui était stupide, c'était de généraliser. J'étais en train de penser, petit à petit, que Simone, que Gaubrey, que tous, enfin, allaient suivre l'exemple de Jumauge ! Mais non, pas du tout ! Ils étaient obligés de s'adapter à une situation nouvelle, soit ! Cela ne signifiait nullement qu'ils étaient sous l'influence de Myrtil. Voilà, justement, l'interprétation qu'il fallait combattre. Dès que l'Amicale serait réunie, je mettrais les choses au point, une bonne fois. Et d'ailleurs, j'allais tout de suite m'en expliquer avec Éramble...

Éramble ne me fit pas attendre très longtemps.

« Oh ! Je sais pourquoi vous voulez me voir, dit-il. C'est à cause d'elle, n'est-ce pas ?

— En effet. Elle sort d'ici. »

Éramble parut surpris.

« Mais pardon, monsieur Garric. De qui parlez-vous ?

— De Mme Gallart.

— Ah ! Je comprends... Moi, je parlais de ma jambe. »

Il jeta sur un fauteuil son chapeau et ses gants et soupira :

« Cela revient au même, d'ailleurs ! Pauvre Simone ! Je ne sais pas ce qu'elle a, en ce moment. Je sonne chez elle. On ne m'ouvre pas. Je téléphone ; on raccroche aussitôt... Plutôt, je sais bien ce qu'elle a. Elle est jalouse. On voit bien que vous ne la connaissez pas. Simone, c'est quelqu'un de farouchement indépendant. Au fond, c'est une célibataire-née. Alors, elle enrage qu'on lui ait collé cette jambe d'homme. Elle aurait préféré une jambe de bois.

— Je ne vois pas le rapport.

— Si. Vous allez comprendre. Moi, au contraire, je vis mieux qu'avant, avec la patte de Myrtil. Et je ne m'en cache pas. Elle fait ma joie ! C'est ça que Simone ne peut pas supporter. Elle a l'impression que la jambe et moi, nous nous entendons pour la narguer. Je dis ça très mal, mais enfin, vous voyez ? Quand elle est avec moi, elle se sent en état d'infériorité, comme si quelque chose d'elle était en complicité avec moi. Vous avez bien remarqué, quand trois amis sont ensemble et que deux, sans le faire exprès, sont toujours d'accord contre le troisième. Eh bien, c'est à peu près la même chose. Alors, tout ce que je dis l'exaspère. Si je lui demande des nouvelles de sa santé, elle ne répond pas. Si je lui offre un fauteuil, elle réplique qu'elle n'est pas fatiguée. Si je lui conseille de se remettre à la culture physique, elle ricane. Je m'y perds, à la fin ! Je crois que cette jambe lui fait horreur. Une jambe qui aurait si bien fait mon affaire ! Quel gâchis !

— Mais alors, votre mariage ?

— Plus question !... Fini !... Elle veut me punir. Elle sait très bien que je serai horriblement privé si elle me ferme sa porte. Mais c'est ce qu'elle désire. Que je me sente aussi mutilé qu'elle... Aussi seul ! »

Le malheureux semblait vraiment désemparé.

« Franchement, dis-je, c'est de l'enfantillage. J'arrive à vous suivre, dans une certaine mesure. Mais il y a, dans votre attitude, quelque chose que je ne saisis pas. Tenez, vous me rappelez ces " supporters ", ces mordus qui... »

Il se pencha et mit ma main sur mon genou, vivement.

« Voilà ! Vous y êtes... Vous avez trouvé le mot que je cherchais... Supporter ! C'est très curieux, je n'y avais jamais songé, mais c'est tout à fait ça... je me sens, en effet, comme le supporter de Myrtil. Sa jambe, c'est comme un don qu'il m'aurait fait, à moi, personnellement.

— Comme un champion qui donne à un admirateur son fanion, l'écusson de son club, ou le maillot qu'il portait, au moment d'un record ?

— Exactement ! Myrtil, maintenant, c'est quelqu'un que j'admire beaucoup. Mais ça, Simone ne le comprendra jamais... Et qu'on lui ait accordé l'autre jambe, non, là, on a commis une erreur affreuse. Une femme est insensible à ce genre de sentiment. Simone n'admet pas que je veille sur l'autre jambe. Cela la vexe. Comment vous dire ? Pour elle, l'amour exclut la camaraderie, si vous voulez ! Que j'éprouve pour une partie d'elle-même une amitié d'homme, elle ressent cela comme une insulte... Et qu'il y ait, dans cette amitié, de l'admiration, de la gratitude, un petit grain de fanatisme aussi, ça la met hors d'elle !... »

Nous n'en sortirions jamais. Ces deux-là étaient bel et bien devenus des malades. Or, la consigne du silence m'empêchait d'alerter un spécialiste. Marek ne savait pas soigner les névroses. Une fois de plus, j'étais réduit à l'impuissance au moment où il aurait fallu tenter quelque chose.

« Vous devriez voyager un peu, proposai-je, pour vous changer les idées.

— Vous savez bien que le professeur nous a interdit de nous éloigner.

— Ce n'est là qu'un excès de prudence.

— Mais supposez qu'il lui arrive... je ne sais pas, moi... un accident.

— À Mme Gallart ?... Allons donc !... Je veillerai sur elle, je vous le promets. »

Il hésitait encore, n'osait aller jusqu'au bout de sa pensée.

« Prenez huit jours, dis-je. Je m'occuperai de Marek, ne vous inquiétez pas. »

Il se laissa pousser vers la porte, mais, au dernier moment, ce fut plus fort que lui. Il retint le battant et chuchota, pitoyable :

« N'oubliez pas... J'ai une option sur sa jambe. »

Je refermai et m'adossai au mur, épuisé. Si ce cauchemar devait durer, je n'y résisterais pas... J'essayai de lire, mais tout me paraissait fade, ennuyeux. J'avais franchi un seuil ; j'appartenais, malgré moi, à un âge nouveau, celui de la greffe. L'humain, sous mes yeux, était en train de se remodeler. Aussi les livres me tombaient-ils des mains. Leurs histoires, les passions qu'ils décrivaient, tout cela était d'hier. Je n'étais plus concerné par rien. Il n'y avait plus, pour moi, que Simone, Éramble et les autres. J'étais déjà prêt à courir aux nouvelles. Que faisaient-ils ? Que pensaient-ils ?

Je pris ma voiture et roulai vers Fontainebleau. Mais la forêt ne m'apaisa pas. Je me sentais incohérent jusqu'à la moelle...

Deux jours passèrent. Je reçus une carte d'Éramble. Il était à Quimper, où il avait l'intention de séjourner. Quand je parlerais de ce voyage à Marek, il y aurait une belle séance ! Mais tant pis ! Or le professeur me téléphona le troisième jour, de bon matin, et, tout de suite, ce fut le drame. Pour la première fois, la voix de Marek tremblait d'émotion. La veille au soir, il avait reçu la visite de Simone. Elle était extrêmement agitée et lui avait demandé la permission de consulter un psychiatre.

« J'ai refusé, dit Marek. Je connais mes confrères. C'est leur métier d'obtenir des confessions complètes et je ne tiens pas à les avoir sur le... sur le dos ? C'est bien ça ?... Je lui ai donné un calmant énergique. Elle a surtout besoin de dormir... Seulement, ce matin, elle devait m'appeler pour me dire comment elle avait passé la nuit, et elle ne répond pas. J'entends sonner son téléphone, mais personne ne bouge.

— Vous craignez que?...

— Je me méfie... Elle était tellement excitée... Il faut que nous allions là-bas. Le premier arrivé attendra l'autre. À tout hasard, je prends l'ambulance.

— J'y vais! criai-je. Merci de m'avoir prévenu! »

Simone habitait avenue Perrichont. Pour moi, c'était une course de quelques minutes. Je fis le trajet, le cœur serré d'appréhension. Premier étage, m'indiqua la concierge. Je sonnai. Pas de réponse. Aucun bruit. Que faire?... Appeler un serrurier? J'étais malade d'angoisse. Je croyais revivre notre attente, devant la porte de Jumauge. Je redescendis.

« La bonne va vous ouvrir, dit la concierge. Elle couche au sixième, mais elle descend à huit heures, d'habitude. »

Bien sûr! La bonne! Je grimpai les marches, quatre à quatre. Au second, je la rencontrai.

« Vite! Mme Gallart ne répond pas. Il lui est arrivé quelque chose. »

Mon agitation gagna la fille qui se précipita sur mes talons. Marek débouchait sur le palier, toujours très maître de lui. Ce fut lui qui ouvrit, car la bonne ne parvenait pas à introduire la clef de sûreté dans la serrure. Nous traversâmes le vestibule et un petit salon.

« La chambre est au fond », dit la fille.

Nous y courûmes. Simone semblait dormir. Le professeur lui saisit le poignet. La petite domestique reniflait déjà, prête au pire.

« Elle est morte, chuchota Marek. Il n'y a pas longtemps. »

Il regarda autour de lui, aperçut la fiole, sur la table de chevet, auprès d'une carafe et d'un verre. Il pencha la fiole. Elle était vide. Je l'entendis jurer tout bas dans une langue inconnue. La bonne, effondrée, sanglotait bruyamment.

« Faites-la sortir », cria-t-il, soudain furieux.

Je la conduisis dans la cuisine.

« Attendez-moi ici... Nous nous occupons d'elle. Chut ! »

En revenant, je ramassai un papier qui était tombé sur la descente de lit. C'était l'ordonnance de Marek. *Prendre dix gouttes au coucher et cinq au réveil. Ne pas dépasser cette dose.*

Marek haussa les épaules.

« Elle s'est tuée, dit-il. Monsieur Garric, je vous demande d'intervenir tout de suite, comme vous l'avez fait la dernière fois. Il ne faut pas qu'un de vos fonctionnaires mette le nez dans nos affaires. C'est possible ?

— Oui, bien sûr, mais...

— Je l'emmène à la clinique. La petite, à côté, inventez quelque chose... Dites-lui que... qu'il y a encore un espoir... Après, vous me donnerez un coup de main. »

J'obéis. J'étais anéanti. J'aurais dû, pourtant, me douter que Simone n'était pas seulement venue me voir pour bavarder. Elle avait peut-être attendu de moi un secours, une aide morale, et je n'avais rien fait. J'étais impardonnable.

Comme un somnambule, je prêtai main-forte à Marek. Simone ne pesait pas bien lourd. Nous n'eûmes aucun mal à l'installer dans l'ambulance. Ensuite, je consacrai la matinée aux démarches, aux explications à mots couverts. Pas facile d'escamoter un mort ! Heureusement, j'avais des pouvoirs discrétionnaires. Je prévins le préfet, dès que je me sentis maître de la situation.

« Affaire purement privée », trancha-t-il.

Bien sûr, on ne pouvait plus revenir en arrière. Il n'y avait plus qu'une attitude possible : fermer les yeux. Refuser de regarder les choses en face. Seule comptait la réussite scientifique, en dépit de tout ce qu'on m'avait dit. Je n'insistai pas. Désormais, c'était sur moi que retomberait la mauvaise humeur officielle. Je téléphonai à l'abbé, qui fut très affecté mais pas tellement étonné.

« Le diable a de la suite dans les idées, me dit-il. Vous comprenez, maintenant, pourquoi l'Écriture nous enseigne que les fruits de l'arbre de la science sont empoisonnés ? »

Lui aussi se mettait à dérailler tout doucement. Nulle part je n'entendrais un avis sensé. Je continuerais à me débattre seul. Marek m'appela, dans l'après-midi. Sa communication fut aussi froide et précise qu'un rapport à une société savante. J'ai oublié les termes qu'il employa. Je ne retins que sa dernière phrase : Nérisse, qui avait eu vent de quelque chose, venait de faire une violente crise de dépression. J'exigeai des détails, mais Marek détestait les détails. Il se borna à me signaler que Nérisse était en observation, qu'il était hanté par la peur de la mort et prétendait qu'ils se suicideraient tous. Je faillis avouer que la même idée m'était déjà venue. Marek ne se laissait nullement troubler pour si peu. Il répondait de Nérisse et me priait de faire le nécessaire pour l'enterrement. Il raccrocha, craignant sans doute mes récriminations. Il avait bien tort. Le temps des protestations était passé. Maintenant, je m'installais dans la catastrophe. À qui le tour ? Je sursautai. Éramble !... Éramble, qui allait m'assassiner de reproches ! Éramble qu'il faudrait sans doute surveiller de près. Il avait tout juste les mêmes raisons que Simone de se tuer. Des raisons stupides. De fausses raisons. Mais comment savoir, avec eux, où commençait l'aliénation mentale ? Je lui télégraphiai : *Prière revenir immédiatement. Vous attends.*

Le lendemain, hors d'haleine, il sonnait chez moi.

« Il lui est arrivé quelque chose ? demanda-t-il, hagard.

— Oui. Calmez-vous !... Elle s'est empoisonnée.

— Mais alors ? Sa jambe est libre ?... Je la veux, vous entendez ? Elle est à moi ! »

La semaine qui suivit m'a laissé un souvenir confus. Je ne pris, pendant cette période, que des notes rapides, elliptiques, dont il m'est difficile, aujourd'hui, de faire usage. C'est en tâtonnant que je reconstitue la suite logique de mon récit. Je sais que je m'installai chez Éramble, à la demande de Marek.

Je revois le professeur, un peu moins sûr de lui, me priant de ne pas lâcher Éramble d'une semelle. Nous redoutions tous une imprudence, un éclat, une déclaration fracassante du malheureux qui en voulait à mort à Marek depuis que celui-ci avait refusé de lui greffer la seconde jambe de Myrtil. Quand je dis : refusé, ce n'est pas exact. Techniquement, la greffe était impossible, car Simone était morte depuis plus de vingt-quatre heures quand Éramble était arrivé à Paris. Mais, même si Éramble s'était trouvé sur place, le professeur n'eût pas consenti à sa demande. C'est ce que j'essayai, pendant des jours, de lui faire comprendre... En vain ! Il était buté et ne voulait rien entendre. J'avais beau lui expliquer que la greffe était une pratique légitime dans un cas d'extrême urgence, mais qu'il était nécessaire d'en limiter l'emploi, sous peine d'abus intolérables, Éramble m'objectait qu'au contraire une deuxième expérience, entreprise pour des raisons de pure esthétique, en quelque sorte, donnerait encore plus d'éclat à la démonstration du professeur et montrerait qu'un membre serait capable de vivre presque indéfiniment, indépendamment des corps qui lui offriraient un asile momentané. Il ajoutait que la jambe de Myrtil lui revenait de droit, qu'elle avait causé directement la mort de Simone parce que Simone n'avait pas été, pour elle, un terrain favorable tandis qu'il fournirait la preuve, lui, qu'une greffe bien adaptée pouvait créer un homme nouveau, plus fort, mieux équilibré. Il produisait bien d'autres arguments que je ne veux même pas rapporter mais qui, tous, présentaient le même caractère de logique dans l'absurde qui est la marque de l'idée fixe et c'était ce qui nous inquiétait, Marek et moi.

En outre, comme tous les obsédés, Éramble n'admettait pas la contradiction, menaçait d'écrire aux journaux, de saisir l'opinion publique, les tribunaux. Il fallait le laisser dire. Quand il s'était démené, il se calmait, s'excusait, reconnaissait de lui-même qu'il avait tort, mais alors il tombait dans l'excès inverse, se demandait avec angoisse s'il n'était pas atteint d'une névrose, me suppliait de veiller sur lui et se livrait aux confessions les plus gênantes. Il n'avait jamais pu faire de sport, par timidité. Il ne supportait pas l'idée d'être vu en maillot ou en tenue légère. Il avait toujours l'impression qu'on se moquait de lui. Au conseil de révision, il avait été réformé et s'était persuadé qu'il n'était pas tout à fait comme les autres, que son corps devrait être caché parce qu'il prêtait à rire. L'automobile lui avait rendu une partie de son assurance. Au volant, un homme n'est plus qu'un buste et un buste en vaut un autre. Le plus fort est celui qui va le plus vite.

« Vous comprenez, monsieur Garric, pourquoi j'ai reçu la jambe de Myrtil comme un cadeau du Ciel. »

Oui, je comprenais. Tout doucement, je m'efforçais de raisonner Éramble, de l'amener à se résigner.

Simone fut inhumée au Père-Lachaise. Éramble n'alla pas à l'enterrement ; c'eût été une trop rude épreuve, et je restai auprès de lui. L'abbé me raconta la cérémonie, à laquelle Régine assistait. Nérisse n'avait pu quitter la clinique ; ni Gaubrey ni Mousseron ne s'étaient dérangés. L'abbé était triste. Il voyait notre petit groupe non seulement décimé par la fatalité mais encore désuni, défait de l'intérieur par des ressentiments inexplicables.

« C'est comme une malédiction, répétait-il. C'est le sang de Myrtil qui retombe sur nos têtes !

— Enfin, vous, un prêtre, lui disais-je, vous n'allez pas vous abandonner !

— Non, bien sûr que non. Le salut nous reste offert, toujours, à chaque seconde. Nous restons libres !

— Eh bien, c'est cela, justement, qu'il faut leur faire entrer dans le crâne. Parlez-leur. Ils ont confiance en vous. »

Je hâtai la réunion de l'Amicale. Éramble mit sa maison à notre disposition et ils répondirent tous à mon appel, même Nérisse, que Marek amena sur un brancard, tellement il était encore faible et déprimé. Nous nous installâmes au salon. L'abbé se dépensait, affectait un entrain qu'il n'éprouvait pas. Moi-même, tout en passant les petits fours et en distribuant les verres, je faisais semblant d'être sinon gai du moins sans appréhension. Mais le froid persistait. Gaubrey paraissait lointain, étranger aux propos qui se tenaient autour de lui. Mousseron, à la dérobée, regardait l'heure. C'était lui qui avait le plus changé. Il s'était transformé d'une manière subtile et portait le succès sur son visage comme Jumauge avait porté l'échec. Ses gestes avaient je ne sais quoi de pressé et de dédaigneux. Ses traits s'étaient affinés. Il avait maigri comme un athlète au mieux de sa forme et ses dents brillaient d'un éclat carnassier. Il était habillé avec une négligence surveillée et laissait tomber sur les meubles, sur les tableaux, un regard vif et blasé.

« Qu'est-ce qu'on fait ? » dit-il.

La réunion s'ouvrit sur ces mots. L'abbé, habitué à diriger les discussions de ses cercles de jeunes, prit aussitôt la parole.

« Nous sommes ici, dit-il, pour nous voir, d'abord. Il y a longtemps que nous ne nous sommes pas rencontrés. Je voudrais féliciter nos amis, Gaubrey et Mousseron. Tout ce qui leur arrive de bon ne peut que nous être agréable.

— Tu exposes bientôt ? » demanda Mousseron.

C'était la première fois qu'il tutoyait le peintre. Gaubrey était devenu pour lui une relation utile. Gaubrey s'anima un peu.

« Dans une quinzaine de jours, dit-il.

— Et ça marche ? » dit Éramble.

Gaubrey tourna vers lui ses yeux troubles.

« Qu'est-ce que ça signifie, ça marche ? On me dit de peindre. Alors, je peins.

— Nous irons tous vous féliciter, lançai-je.

— Achetez-moi quelque chose, ça vaudra mieux, grommela Gaubrey.

— Moi, fit Mousseron, je me défends. On me propose trois engagements et, à la rentrée, j'écrirai la musique d'un film. »

Nous levâmes nos verres.

« Il y a autre chose, reprit l'abbé, et puisque nous venons de boire à la fortune de nos amis, je peux bien vous confier le fond de ma pensée. Après tout, la chance des uns doit être considérée comme un signe favorable pour les autres. Depuis quelque temps, le malheur ne nous épargne pas et certains, ici, se découragent, je le sais.

— On mourra tous, dit Nérisse.

— Sans doute, plaisanta l'abbé. Chacun en son temps... Mais il n'y a pas la moindre raison de croire que ce sera bientôt. Voyez-vous, il y a, dans le suicide, quelque chose de contagieux et je voudrais vous mettre en garde... N'allez surtout pas vous imaginer que Jumauge et Simone Gallart sont morts parce que l'opération que nous avons subie les prédisposait à se tuer. C'est faux. Je vous défie d'avancer une raison sérieuse en faveur d'une telle idée. Ils avaient leurs tourments comme nous avons les nôtres. Mais s'ils nous avaient appelés à l'aide, nous aurions pu les sauver. C'est la solitude qui engendre le désespoir. À nous cinq, nous sommes encore très forts. Aussi, croyez-moi, à la moindre défaillance, vite, que chacun alerte tous les autres !

— Vous savez, dit Mousseron, en ce qui me concerne, il n'y a rien à craindre. Et toi, Gaubrey, est-ce que tu as envie de tirer ta révérence ?

— Je t'attendrai encore un peu, dit Gaubrey, en vidant son verre.

— Et vous, Nérisse ? demanda l'abbé.

— Si j'étais moins fatigué, murmura Nérisse, je me raccrocherais. Mais ces morts me démolissent. Je les sens venir. Je pense que les bêtes doivent éprouver la même chose au moment d'un tremblement de terre. »

Ces mots excitèrent ma curiosité. J'avais longuement étudié la télépathie et je me promis d'avoir une longue conversation avec Nérisse, un peu plus tard. Mais ce n'était pas l'heure d'entamer le débat. Mousseron donnait des signes d'impatience. L'abbé se dépêcha de conclure.

« M. Éramble est bien d'accord, lui aussi. Pour

moi, je n'ai pas besoin de vous rappeler qu'un chrétien ne se suicide pas.

— Sauf Judas, chuchota Nérisse.

— Donc, restons en contact, et n'ayons pas peur de nous confier nos moindres inquiétudes. C'est promis ?

— Promis », dirent les quatre autres, un peu par jeu, mais avec un certain élan, malgré tout, car la conviction de l'abbé les avait touchés.

Ensuite, Éramble déboucha une bouteille de champagne, puis tint absolument à nous faire goûter un mousseux rosé des environs de Troyes... Mousseron emmena Gaubrey. Il était temps. Marek remmena Nérisse. L'abbé était très satisfait de la soirée. Éramble, lui, était enchanté. Il avait retrouvé son allure d'autrefois, se moquait de ce qu'il appelait ses « faiblesses » et nous assura que la crise était bien finie. Je me hasardai à le quitter, non sans une certaine appréhension, mais le lendemain il m'appela pour me redire qu'il se sentait très bien et que notre amitié à tous avait fait plus pour sa santé que les calmants du professeur. Tranquillisé, je me rendis sur la tombe de Simone. Par curiosité, je l'avoue. Un gardien m'indiqua le chemin à suivre. Régine était debout, devant le caveau. Je la reconnus et quelque chose de très doux vibra en moi, comme une corde de guitare effleurée. Je hâtai le pas. Elle parut heureuse de me voir.

« Je n'ai pas osé demander, l'autre jour, dit-elle. Vous n'étiez pas malade ?

— Non. Je suis resté auprès d'Éramble. »

Je regardai les couronnes, quelques-unes avaient été envoyées par des proches, neveux et cousins ; les autres avaient été offertes par notre groupe. Celle de Régine était là, un peu à l'écart : *Regrets éternels.*

Régine s'empressa de rompre le silence.

« Ici, c'est mieux qu'à Pantin. Là-bas, l'herbe envahit tout.

— Comment ? Vous allez toujours à Pantin ?

— Il faut bien. Il m'attend aussi là-bas.

— Voyons, Régine... »

Je l'emmenai. J'aurais voulu lui faire comprendre que sa fidélité était sans objet, mais elle était aussi têtue qu'Éramble.

« Alors, dis-je, si Mousseron venait à mourir, ou Nérisse... Vous iriez ainsi, de cimetière en cimetière ? »

Elle ne répondit pas, mais je songeai que les croyants trouvent naturel de visiter les églises où reposent les reliques éparpillées du saint qu'ils vénèrent.

« Pardon, murmurai-je. Je n'ai pas voulu vous blesser. »

Nous nous promenâmes, un moment, le long des allées silencieuses. Des nuages passaient parfois, en ombres rapides, puis le soleil revenait, dessinant sur les marbres nos silhouettes obliques et rapprochées.

« Parlez-moi encore de Myrtil, dis-je. Est-ce qu'il était superstitieux ? Je m'explique mal... Est-ce qu'il croyait aux pressentiments ? Avant d'entreprendre... quoi que ce soit, est-ce qu'il devenait attentif à des signes ?... Vous savez, ce qui porte chance ou malchance ?

— Lui, sûrement pas ! Il était au contraire, très méticuleux, pour ne rien laisser au hasard, justement.

— Est-ce qu'il aimait la musique, la peinture ?

— Non. C'était quelqu'un de très positif. Il ne pensait qu'à lui... Lui d'abord ! C'est pourquoi votre histoire de corps légué à la médecine, je n'arrive pas à y croire... Ou alors, c'est qu'il a voulu se moquer de quelqu'un. Ça, oui, il en était bien capable. »

Je m'arrêtai devant la porte.

« Vous voyez Gaubrey ?

— Presque tous les jours. Je mets un peu d'ordre

chez lui. Quand il est soûl, il me supporte... Je le regarde travailler... C'est tellement étrange, cette main qui était si adroite quand elle démontait un pistolet et qui, maintenant, tâtonne... Je la sens tellement perdue !... C'est à cause d'elle que je suis revenue chez Gaubrey... Quand il dort, je la touche... Autrefois, elle était plus chaude. Monsieur Garric, ceux qui ont permis cela, ce sont des monstres ! »

Elle était belle, dans sa colère. J'éprouvais comme la réverbération de son amour et, gêné, lui tendis la main.

« Nous nous reverrons au vernissage. Continuez à veiller sur lui. J'ai été heureux de vous rencontrer, Régine. »

Surprise, flattée, elle sourit, cherchant peut-être un mot aimable. Moi-même, j'aurais voulu ajouter quelque chose. Nous ne savions plus comment nous séparer. Nous étions brusquement en porte à faux, empruntés, intimidés.

« Merci encore », dit-elle gauchement.

Je partis. J'étais sûr qu'elle me suivait des yeux et j'étais furieux après moi. Toutes leurs passions, la frénésie de Jumauge, le désespoir de Simone, l'ambition de Mousseron, l'amour de Régine... tous leurs désirs s'entrecroisaient autour de moi comme des projectiles. Je finirais bien par être atteint, à mon tour. Je rentrai chez moi. Il y avait une lettre du directeur de la galerie me donnant rendez-vous pour le surlendemain. Massart voulait me parler du vernissage, précisément. Ce vernissage devint très vite ma préoccupation principale. J'étais très désireux d'aider Gaubrey, et Massart me chargea d'intervenir auprès de gens qu'il ne savait comment toucher. Je fis de nombreuses démarches. Éramble se mit, très gentiment, à ma disposition. Nous avions, le soir, de longs conciliabules, faubourg Saint-Antoine, quand son personnel était parti et que les salles aux riches mobiliers semblaient attendre de mystérieux locataires. J'étais toujours un peu troublé quand je les traversais, à peine éclairées par les reflets d'un éclairage indirect aussi pâle qu'un crépuscule. Éramble me montrait des extraits de journaux, des articles classés dans une chemise sur laquelle il avait écrit : *Exposition Gaubrey.*

« Il commence à m'intéresser, ce gaillard, déclarait-il, en sortant la boîte à cigares. D'abord, c'est un des nôtres ! Et puis, mon cher, j'ai du flair pour ces choses-là... Gaubrey va démarrer. Alors, il ne faut pas rater le coche. C'est un placement. Moi, je suis prêt à lui prendre une dizaine de toiles, rien que pour faire monter les prix. »

Ensemble, nous rendîmes visite à Gaubrey. Il travaillait, un mégot à la lèvre, l'œil éteint, la bouteille coiffée d'un verre, sous la main. Ses tableaux se ressemblaient tous : ils représentaient je ne sais quelle suintante décomposition, un monde de bavures, de coulures, de sueurs visqueuses, de matières désintégrées faisant retour à un plasma tantôt vineux comme un caillot, tantôt glaireux comme une méduse. Et ces gelées suspectes semblaient sourdement animées d'un tremblement de fermentation, d'un grouillement à demi caché par une buée trouble. Cela gouttait et fumait à la fois. Gaubrey, en peu de temps, s'était fabriqué une manière bien à lui, très éloignée de ses premières ébauches. Il peignait vite, la bouche crispée par une curieuse moue de mépris. Son pinceau titubait sans retenue sur la toile, piochait dans les couleurs inondant la palette, retournait d'un trait fixer sur la toile une touche de gris ou de bleu boueux ; ou bien il glissait de haut en bas, laissant une traînée apparemment sans signification mais que la couleur, épaisse comme un suc vivant, comme une humeur fiévreuse, transformait aussitôt en épanchement, en sanie. Éramble, à deux pas en arrière, penchait la tête et fronçait les sourcils.

« Il a quelque chose, me souffla-t-il. Je ne sais pas à quoi ça tient. Sans doute à ses mélanges. C'est hideux, mais c'est sensationnel. »

Je le regardai. Il ne plaisantait pas. Il avait oublié ses hantises, ne pensait plus à sa jambe, mais alignait, mentalement, des chiffres. Gaubrey ne tourna même pas les yeux quand nous partîmes.

« Il faut faire un lancement du tonnerre, s'écria Éramble, de plus en plus excité.

— Faites confiance à Massart ! »

Je renouvelai mes consignes à tous : pas un mot de trop devant les journalistes. Gaubrey avait eu un accident ; on lui avait raccommodé son bras, tant bien que mal. Telle était la version officielle et il fallait s'en tenir là. En revanche, chacun était libre de commenter à sa guise le travail du peintre s'acharnant à utiliser son bras mutilé. D'ailleurs, la controverse devint publique bien avant le vernissage. Certains critiques crièrent au bluff; d'autres commençaient à parler de l' « univers gaubréyen ». Éramble se frottait les mains. Je ne cessais plus de courir entre la galerie, la clinique et mon appartement. Il me fallut batailler avec Nérisse, qui redoutait de paraître dans une assemblée où il y aurait certainement des avocats, des magistrats, des chroniqueurs de toute sorte. Je ne voulais pas lui expliquer que cette ultime épreuve était nécessaire; cela l'aurait sans doute braqué définitivement. J'étais obligé de faire appel à son cœur... « Gaubrey a besoin de nous... S'il ne vous voit pas, il croira que vous le lâchez... etc. » Enfin, pour le rassurer, je lui conseillai de porter des lunettes à verres teintés ; avec son collier de barbe, il serait absolument méconnaissable. Il ne viendrait qu'au moment de la plus grosse affluence et ne resterait qu'un quart d'heure, juste le temps de féliciter Gaubrey. Naturellement, Marek serait là, muni de sa trousse d'urgence. Le malheureux Nérisse se sentait perdu dès que le professeur s'éloignait.

Marek, au début, ne s'était pas montré très favorable à cette sortie de Nérisse ; mais quand il apprit que Régine serait au vernissage, il accepta aussitôt. Régine n'avait vu Nérisse qu'endormi. Quand elle se retrouverait devant lui, à la galerie, elle n'oserait pas lui dire des choses qui pourraient le troubler. La présence des gens, autour d'elle, atténuerait le choc. Marek estimait que Régine cesserait ensuite, de s'intéresser à Nérisse. Moi, j'essayais de me persuader qu'elle oublierait peut-être plus facilement Myrtil.

Bref, quand arriva le jour du vernissage, j'étais plein d'appréhension et d'espoir. Si tout allait bien, Gaubrey serait délivré de ses idées noires, Nérisse reprenait confiance en lui-même et Régine... Quoi ! Régine n'était, après tout, qu'une petite garce qui avait fait de la prison, tandis que moi, j'étais le collaborateur du Préfet de Police ! L'argument ne pesait pas lourd et ne m'empêchait pas d'être englué de Régine. J'avais une folle envie de la revoir, d'effacer Myrtil de son cœur. Effacer Myrtil ! C'était cela, ma mission. Depuis des semaines, je me battais contre Myrtil. Si le vernissage était un succès, je marquerais le premier point contre lui. Gaubrey reprenant goût à la vie, Mousseron triomphant, Éramble rasséréné, ouf ! je commencerais à songer à moi et à organiser ma vie d'une manière plus harmonieuse. Je passai prendre Éramble. Il y avait déjà pas mal de monde quand nous arrivâmes. Massart nous souffla :

« Ça va très fort ! »

Gaubrey allait d'un groupe à l'autre, l'air absent. Il

était le seul qui ne regardât point ses toiles, au nombre d'une quarantaine. Elles étaient admirablement mises en valeur par un éclairage savant et chacune lançait une imprécation muette qui, d'emblée, stoppait le curieux, l'obligeait à prendre du champ et à s'interroger. Gaubrey était-il un farceur, un naïf, un malade, un révolté ou un impuissant? J'aperçus Régine, et, plantant là Éramble, je volai vers elle. Où avait-elle appris à s'habiller avec cette simplicité raffinée. Je lui fis compliment de son tailleur et elle rougit de plaisir. Nous regardâmes les salles s'emplir d'une foule élégante. Je reconnaissais au passage des visages plus ou moins célèbres, je saluais des personnages importants que je nommais à Régine, avec une fierté un peu puérile. Massart présentait Gaubrey, courait au-devant de nouveaux visiteurs. Il me lança :

« C'est gagné ! »

Nous commencions à être bousculés, à dériver lentement dans un courant de foule, parmi les rumeurs, les exclamations, les confidences surprises au vol... « Incroyable !... » « Il me semble que si je prenais un pinceau, j'en ferais autant... » « On dit qu'il a été désintoxiqué cinq ou six fois... » « C'est un nouveau Voyage au bout de la Nuit... » « Un pauvre type... » « Vous croyez que ça vaudra cher ?... » Éramble nous rejoignit ; il nous résuma la situation.

« On ne sait pas encore s'il a du talent, mais on commence à murmurer qu'il a du punch. C'est bon signe ! »

L'éclat lointain des flashes se refléta dans les yeux de Régine.

« Je suis contente, dit-elle. S'il réussit, ce sera grâce à René. »

J'allais lui répondre, quand je vis, non loin de nous, Marek et Nérisse. Régine les découvrit en même temps que moi. Ses mains se mirent à trembler. Marek s'inclina.

« Monsieur Nérisse... Mademoiselle Régine Mancel. »

Régine s'accrochait à mon bras. Nérisse la salua distraitement.

« Je me sens fatigué, dit-il. Est-ce que je pourrais m'asseoir quelque part ?

— Tout au fond, dit Marek. Il me semble qu'il y a des fauteuils. »

Il emmena Nérisse. Régine regardait s'éloigner le visage qui n'avait pas souri pour elle, qui n'était plus qu'une tête anonyme qui, déjà, se perdait parmi les autres têtes. Je me penchai à son oreille.

« Comment vous aurait-il reconnue, Régine ? Rappelez-vous qu'il ne vous a jamais vue. Quand vous achetez une maison, est-ce que vous voulez savoir qui habitait là avant vous ? Non, n'est-ce pas ?... C'est toujours la même maison et pourtant c'en est une autre, la vôtre !... Nérisse habite une nouvelle enveloppe, mais c'est la sienne. Vous n'êtes rien pour lui.

— Oui, fit Régine. Je crois que je commence à comprendre... Allons-nous-en ! »

Je ne demandais pas mieux. Les événements prenaient une tournure qui me plaisait. Mais, avant de sortir, je devais aller saluer Massart et féliciter Gaubrey.

« Attendez-moi là une minute, Régine... Le temps de serrer quelques mains et nous filons. Je vous emmène boire un verre chez moi. »

Je me jetai au cœur de la foule. Je rencontrai Mousseron qui me dit, avec une pointe d'envie :

« Est-ce vrai qu'on lui a proposé d'exposer à Londres ?

— Je l'ignore. Où est-il ? »

Mousseron fit un geste vague. Je me taillai péniblement un chemin vers la deuxième salle où se trouvaient les toiles les plus violentes. Je parvins auprès de Massart qui s'entretenait confidentiellement avec deux hommes aux yeux d'Anglo-Saxons.

« Il est dans mon bureau, au premier, dit-il. Il voulait se reposer un peu. »

Je repartis. De loin l'abbé agita la main. Il essayait en vain de me rejoindre. Je lui indiquai le fond de la galerie, puis me risquai au milieu d'un groupe de femmes qui me barrait le passage. J'entendis l'une d'elles qui criait pour se faire entendre :

« Picasso est dépassé... Il n'intéresse plus personne !

— Mais vous oseriez accrocher ça dans un salon ? » répliqua une autre.

J'atteignis le petit fumoir où Marek et Nérisse bavardaient dans un coin. Du pouce, Marek me montra le plafond.

« Nous l'avons vu passer, dit-il.

— Il avait l'air content ? »

Mais le bruit était tel que Marek ne comprit pas mes paroles. L'abbé avait réussi à se dégager ; je le pris par le bras.

« Je connais le chemin. Venez ! »

L'abbé chercha son mouchoir, s'épongea le front.

« C'est un succès inespéré. Je n'aurais pas cru cela possible... Franchement, est-ce de la peinture ou du crachat ?

— Nous le saurons dans deux ans... Par ici. »

Je frappai.

« Il n'entend pas, dit l'abbé. Il y a trop de bruit. »

Je poussai la porte et m'arrêtai net.

« Mon Dieu ! » balbutia l'abbé.

Gaubrey était tombé au pied du bureau. Sa joue gauche était éclaboussée de rouge, comme certaines de ses toiles. Il y avait un revolver sur le tapis.

« Il s'est tué ! »

C'était moi qui venais de parler. C'était moi qui maintenant, ramassais une feuille de dessin, près du corps. Une main hésitante avait tracé ces mots :

Vous me dégoûtez.

« La même écriture que la mienne, fit l'abbé. Moi aussi, j'écris comme ça ! »

Il s'agenouilla, prit la main du mort, puis inclina la tête et se recueillit. J'étais hors d'état de faire un mouvement. Gaubrey aussi avait craqué. Tout s'effondrait. Et les autres qui, en bas, discutaient de sa jeune gloire. Non, ce n'était pas possible ! L'abbé se releva.

« Il faut prévenir le professeur, dit-il. Je vous l'envoie... Il faut aussi prévenir M. Massart. »

Hébété, je le laissai partir. C'était un petit revolver à barillet, court de gueule, avec des reflets de pétrole. Il l'avait apporté dans sa poche, bien décidé à en finir. Sans doute ne voulait-il pas d'une chance due à la main d'un autre ? D'une chance volée ! Sur le bureau, il y avait un contrat. Au dernier moment, Gaubrey avait refusé de signer.

Cette fois, dès que le préfet apprit le suicide de Gaubrey, il me convoqua chez lui. Je le trouvai anxieux, mécontent, agacé. Il m'écouta avec impatience, m'interrompant sans cesse.

« Vous êtes sûr que personne ne vous a vus, au moment où vous sortiez le corps ?

— Je l'affirme, monsieur le Préfet. Nous avons traversé l'appartement de M. Massart et avons passé par une porte de service. Marek l'a emmené aussitôt. Nous n'avons rencontré personne.

— Et après ?... Comment les invités ont-ils été mis au courant ?

— C'est M. Massart qui a, très simplement, annoncé que Gaubrey était souffrant et qu'on venait de l'emporter dans une clinique. Gros émoi, évidemment. Tout le monde voulait connaître l'adresse de la clinique. Massart a été très bien. Il a su manœuvrer les journalistes et les curieux. La plupart des gens sont partis. Alors, quand il n'a plus été entouré que d'intimes, il a consenti à dire que Gaubrey s'était tué.

— Mais... pour quelle raison ?

— Il a prétendu que Gaubrey souffrait d'une maladie incurable et qu'il avait préféré en finir avec la vie au moment où celle-ci lui donnait sa plus grande joie... Nous avions arrangé cette fable tous les deux. Je ne prétends pas qu'elle soit bien fameuse, mais je commence à être débordé, monsieur le Préfet... »

Il arrêta ces doléances d'un geste sec.

« Et cette Régine ?... Elle s'est contentée de cette histoire ?

— Non. Mais comme elle sait la vérité, elle cherche, elle aussi, la véritable explication... »

Le préfet frappa du poing sur son bureau.

« La véritable explication, dit-il. C'est cela qu'il nous faut... et vite ! Car enfin, Garric, vous m'accorderez qu'il y a, en tout cela, quelque chose qui n'est pas clair... Vous avez beau prétendre que chacun a eu...

— Mais pardon !...

— Oui, je sais... J'ai été le premier à dire que ces suicides étaient sans rapport avec la greffe... Eh bien, je me suis trompé. Un suicide, ça va. Deux suicides, passe encore. Mais trois !... C'est plus qu'une coïncidence. Alors, qu'est-ce que c'est ? »

Comme je demeurais silencieux, il s'emporta soudain.

« C'est à vous de répondre, Garric. Vous êtes le mieux placé pour avoir une idée d'ensemble sur cette affaire. Vous avez le nez dessus, que diable ! »

Ces reproches, je les attendais depuis longtemps. Je les accueillis avec beaucoup de calme.

« Nous n'avons pas le choix, monsieur le Préfet, dis-je. Il est bien évident que Jumauge s'est tué. J'étais là, précisément. Simone s'est tuée. Gaubrey également. S'il y a un lien entre ces trois suicides...

— Il y en a un forcément.

— Bon... Dans ce cas, il faut chercher ce lien dans la greffe elle-même. Nous sommes d'accord ?

— Allez... Continuez !

— Ici, deux hypothèses. Ou bien nos trois suicidés ont été traumatisés par la greffe, et se sont persuadés qu'ils étaient des anormaux ; c'est l'explication psychologique. Ou bien, quelque chose de Myrtil est passé en chaque opéré... Il lui a légué, obscurément, sa volonté de disparaître. C'est l'explication médicale. »

M. Andreotti se leva et fit quelques pas, les mains au dos. Je n'étais pas fâché de le voir, à son tour, dans l'embarras. Je poursuivis donc, avec un malin plaisir :

« À mon avis, la première hypothèse ne vaut rien car Gaubrey, lui, n'avait aucune raison de se supprimer. Reste la seconde. »

Le préfet avait de la peine à se contenir.

« Vous parlez sérieusement ? demanda-t-il. Vous pourriez justifier une idée aussi saugrenue ? Mais qu'est-ce que ça signifie, cette volonté de disparaître ? Comment un homme pourrait-il faire passer dans son corps quelque chose qui est du domaine de la pensée et de l'imagination ? Qu'un bras ou une jambe conserve, pendant quelque temps, certaines habitudes motrices, je l'admets. Qu'il soit habité par un désir, par un vouloir, non ! Non, c'est du fétichisme ! Ça ne tient pas debout. Mais même si c'était vrai, vous entendez, Garric, même si c'était vrai, l'explication ne vaudrait rien, car Myrtil n'avait nullement l'intention de se suicider. Il voulait expier ses fautes. Il était donc animé par un grand désir de repentir. Or, le repentir, c'est de l'espérance, ou alors les mots ne veulent plus rien dire. Myrtil ne voulait pas se détruire. Il voulait se donner ! »

J'essayai d'intervenir. Il m'arrêta.

« D'ailleurs, continua-t-il, d'ailleurs, pourquoi Gaubrey n'aurait-il eu aucune raison de se suicider ? Voilà un homme qui, malgré toute son application, n'arrive pas à percer. Et puis, du jour au lendemain, en peignant n'importe quoi, n'importe comment, il décroche la notoriété et la fortune. Vous croyez qu'il n'y a pas là de quoi tournebouler un cerveau plus solide?... Il croyait au travail, au mérite, au talent. Il découvre brusquement qu'il s'est trompé, que ce qui compte, c'est l'arrivisme, le bluff et la publicité. Son succès le dégoûte. N'est-ce pas ce qu'il a écrit, avant de mourir? Il refuse de signer un contrat qui allait faire de lui un nègre, un esclave obligé à peindre sans arrêt. Je le comprends moi, cet homme!

— Dans ce cas, monsieur le Préfet, vous vous ralliez à mes premières hypothèses et il n'y a pas à chercher plus loin. Disons que, par malchance, la greffe est venue activer certains ressentiments qui empoisonnaient déjà l'existence de trois de nos opérés et espérons que les quatre autres garderont leur équilibre. »

Nous nous regardâmes avec une certaine hostilité. Nous sentions, l'un et l'autre, que nous tournions en rond, que les choses étaient sans doute plus complexes et que nous nous trouvions peut-être en présence d'un phénomène scientifique provisoirement inexplicable.

« Une tentative comme celle de Marek, dis-je, peut fort bien avoir des effets que nous ignorons. Prenez, par exemple, l'apesanteur. Personne ne sait encore si l'organisme humain peut la supporter sans dommage. Certains savants parlent déjà d'un mystérieux mal de l'espace...

— En haut lieu, coupa le préfet, on attache une extrême importance aux travaux de Marek. Ces suicides sont considérés d'un très mauvais œil. Nous devons, par tous les moyens, y mettre fin. Voyons, nos quatre survivants, comment se comportent-ils?

— Nérisse n'est pas très bien. Chaque mort le plonge dans un état de véritable asthénie.

— Nérisse, c'est bien la tête?

— Oui. Est-ce pour cette raison qu'il ressent ces suicides encore plus douloureusement que les autres?

Je l'ignore. En tout cas, il est sous la surveillance constante de Marek et par conséquent nous pouvons le considérer comme en sûreté. L'abbé, lui, est solide. C'est sa foi qui le défend. Le petit Mousseron est tellement ambitieux qu'il n'a pas le temps de s'interroger. Reste Éramble. C'est celui qui m'inquiéterait le plus.

— Que comptez-vous faire pour lui ?

— Rien... On ne peut rien faire. Comment voulez-vous qu'on soit avec lui nuit et jour ? Après la mort de Simone Gallart, pendant une semaine, je me suis occupé de lui comme d'un malade. Mais maintenant, il m'enverrait promener s'il sentait que je le surveille. »

Le préfet réfléchit puis haussa les épaules.

« Ça, mon cher Garric, c'est votre problème. À vous d'inventer un système de protection, mais il faut que vous empêchiez Éramble de faire des bêtises. Il le faut à tout prix, si toutefois vous estimez qu'Éramble est en danger. Encore une fois, vous avez carte blanche. Nous interviendrons quand vous voudrez, dans le sens que vous désirerez. Je ne peux pas mieux dire. »

L'entretien était terminé. Il n'avait servi à rien. J'avais seulement compris qu'on me donnait l'ordre de faire échec à la mort. À moi de me débrouiller, sinon... Je quittai le préfet découragé et amer. Depuis que cette affaire avait commencé, je n'avais plus de vie personnelle, je ne voyais plus mes amis, je ne sortais plus. Peu à peu, je m'étais si bien intégré à l'Amicale que j'en arrivais à me comporter comme si l'on m'avait greffé, à moi aussi, quelque partie du corps de Myrtil. La vraie victime, au fond, c'était moi. Encore une fois, donc, j'assistai aux obsèques. Gaubrey fut enterré au cimetière Montparnasse, presque en cachette, car je ne tenais pas à avoir sur le dos les journalistes. Ai-je besoin d'ajouter que je dus batailler ferme pour obtenir ce résultat. Régine vint et, cette fois, c'était elle qui, de nous tous, était la moins affectée. Cet enterrement au détail de Myrtil avait cessé de l'émouvoir; sa couronne ne portait aucune inscription. En revanche, Mousseron et Éramble étaient très abattus.

« C'est comme si nous avions la peste, me glissa Éramble, tandis que l'abbé, qui avait maigri et portait sur le visage la marque de son tourment, récitait rapidement une prière sur la tombe.

— On ne se tue que si on le veut bien, lui dis-je.

— C'est ce que je me demande. Moi, j'ai l'impression de porter un germe qui incube lentement et puis, tout d'un coup, c'est la catastrophe.

— Allons donc! Vous ne devez pas penser à cela.

— Mais si je le pense, c'est peut-être que le germe agit déjà. »

Je compris que les discours, les conseils, les exhortations seraient inutiles. Que faire contre cette autosuggestion dont Éramble présentait si clairement les symptômes. Je les emmenai tous, après la cérémonie, dans un café proche. Nous n'étions plus tellement nombreux, d'ailleurs. Il y avait Régine, l'abbé, Éramble, Mousseron, Marek et moi. Nérisse avait refusé de quitter la clinique. Il s'y sentait à l'abri, tandis que dehors...

« Il commence à faire de l'agoraphobie, nous expliqua Marek. Il n'ose même pas traverser une pièce. Il longe les murs.

— Mais pourquoi? demandai-je.

— Il a peur. L'agoraphobie révèle toujours un état anxieux, et ça peut le mener loin. »

Je voyais trembler les mains d'Éramble. Je voyais remuer les lèvres de l'abbé. Ils étaient tous pâles et silencieux.

« À mon avis, dis-je, nos amis devraient être considérés, jusqu'à nouvel ordre, comme des malades. Après tout, la peur est une maladie. La preuve : Nérisse. Est-ce qu'ils ne pourraient pas faire un nouveau stage à la clinique ? »

Ils protestèrent. Je m'y attendais. Mais le professeur n'écarta pas mon idée. Nous la discutâmes et finalement nous trouvâmes un terrain d'entente : tous les soirs, à neuf heures, nous nous réunirions à la clinique et là, nous ferions le point. Chacun raconterait sa journée, dirait ses pensées, ses craintes, ses angoisses, puis se soumettrait à un examen complet. Si Marek découvrait quelque chose d'anormal, par exemple, une agitation excessive, ou une fatigue suspecte, il garderait le malade et le mettrait en observation. C'était la solution raisonnable. Nous nous séparâmes un peu détendus. Je ramenai Régine jusqu'à la place Blanche. Il ne m'était pas difficile de sentir qu'elle se plaisait avec moi. Je la traitais avec beaucoup d'égards et même avec respect. Elle m'en avait une grande reconnaissance. Et puis, à mesure que le temps passait, elle se dégageait du veuvage qu'elle s'était imposé, par fierté, et aussi par crainte du qu'en-dira-t-on. Nous bavardions librement. Elle s'amusait de voir que j'ignorais tout du milieu où elle avait évolué et je mettais mon point d'honneur à lui montrer qu'on peut être un fonctionnaire sans cesser d'être un homme. Tout cela donnait à nos relations à la fois beaucoup d'abandon et de retenue. Enfin, je l'aidais à se débarrasser de Myrtil en ne laissant passer aucune occasion de l'interroger sur lui. Or, il m'était venu, pendant l'enterrement, une idée bizarre que je voulais examiner de plus près.

« Myrtil travaillait seul, dis-je. Il n'avait que des complices de rencontre, et il les payait largement. C'est bien cela ?

— Oui.

— Quels sentiments ces complices éprouvaient-ils pour lui ?

— Ils l'admiraient bien sûr. Tout le monde l'admirait. Ils se seraient fait tuer pour lui.

— Même ceux qui ne le connaissaient pas personnellement ?

— Oh ! je crois. René, dans sa partie, était aussi célèbre que, par exemple, Aznavour dans la chanson ; vous voyez ?

— Est-ce que Myrtil aurait pu, en prison, se confier à un autre détenu et lui faire savoir qu'il avait l'intention de donner son corps aux médecins ? »

Régine fronça les sourcils, cherchant où je voulais en venir.

« Cela m'étonnerait. René n'avait pas l'habitude de se confier, j'ai dû vous le dire.

— Mais, matériellement, aurait-il pu ?

— Oui, je crois. Les murs des prisons ont des oreilles.

— Voici à quoi je pense : est-ce que quelqu'un n'aurait pas pu avoir l'idée, connaissant le projet de Myrtil, de le venger ?... Attendez... laissez-moi aller jusqu'au bout. Quelqu'un s'imagine que Myrtil a été obligé de livrer son corps et cette idée le révolte. Il décide donc... »

Elle m'interrompit en riant.

« Je ne vous savais pas si romanesque, dit-elle. Mais non, ce n'est pas possible. D'abord, René n'aurait pas parlé. Ça, c'est absolument sûr. Mais supposons... Dans ce cas, personne n'aurait osé discuter sa décision. Le venger ? Pourquoi ? Ah ! si les médecins avaient résolu de disposer du corps de René malgré lui, là, je ne dis pas. Seulement, René n'en aurait rien su. Vous voyez que votre idée ne mène nulle part... Et si quelqu'un avait voulu venger René, comment aurait-il découvert vos amis ?

— En vous suivant. »

Régine tourna vers moi un visage où, déjà, s'allumait la fureur.

« Quoi ? Vous me croyez capable... »

Je posais la main sur la sienne.

« Non, Régine. Ne vous méprenez pas... Vous n'êtes pas en cause, vous le savez bien. Mais enfin, vous aussi vous êtes connue. Enfin, par certains... Et si quelqu'un s'amusait à vous suivre, il serait au courant de tous nos mouvements. Il connaîtrait les trois tombes, la clinique... »

Elle était devenue toute blanche, sous son fard.

« Vous parlez sérieusement ? » murmura-t-elle.

À la vérité, je ne savais pas bien, moi-même, où j'allais. J'essayais de découvrir une vue d'ensemble, puisque « J'avais le nez sur l'affaire », comme l'avait si aimablement remarqué le préfet.

« Ce qui me tracasse, continuai-je, c'est le revolver de Gaubrey. Vous saviez, vous, qu'il avait un revolver ?

— Non. Mais il lui était facile de s'en procurer un, dans les bars où il allait. Si vous le désirez, dans une heure, je peux vous ramener deux ou trois automatiques prêts à servir... Non, vous rêvez, monsieur Garric... Tout à l'heure, j'ai pris peur, parce que c'est vrai, on a pu me suivre. Pourquoi pas ? À aucun moment, je ne me suis méfiée. Mais vous imaginez l'assassin de Gaubrey se promenant dans les salons, parmi les photographes et les journalistes ? »

Évidemment, cet argument pesait lourd. Et puis quoi ! J'avais assisté au suicide de Jumauge. Et personne n'avait fait avaler de force à Simone Gallart le calmant qui l'avait tuée.

Je cherchai vainement un créneau où insérer ma

voiture, mais il n'y avait pas une place vacante, et je poursuivis ma route vers la place Clichy.

« Moi non plus, avoua-t-elle, je ne comprends pas. Il aimait trop la boisson. Pourtant, au fond, c'était un petit bourgeois, pas un vrai rapin. Ce qu'il aurait voulu, je le sais parce qu'il me l'a dit, c'est peindre des bouquets, des visages, ou bien des trucs comme autrefois... une pipe à côté d'un journal, une cafetière près d'un poisson... Ce qu'il faisait le rendait malade. Alors... »

J'avais cru tenir une idée brillante et je m'apercevais qu'elle s'ajustait mal aux faits.

« Bon. Parlons d'autre chose. Quand est-ce que je vous revois ?

— Je vais finir par vous compromettre.

— Je suis en congé. »

Nous prîmes rendez-vous pour le lendemain.

Pourquoi chercher à me leurrer ? Cette fille me plaisait de plus en plus. Je jouais avec le feu, je ne l'ignorais pas. Mais elle était bien belle ! Que se passerait-il si ?... Je n'aurais plus qu'à donner ma démission. Je serais la risée de la maison. Bien franchement, si elle n'avait pas été la maîtresse de René Myrtil, l'aurais-je même remarquée ? Je n'en savais rien. Je ne savais pas si je l'aimais. Oui, peut-être étais-je assez bête pour cela ! Pour la première fois, je me demandai si j'avais du caractère. On me chargeait d'une mission infiniment difficile et je me laissais distraire par une fille qui sortait de prison. Cette réflexion me rendit à moi-même. Je rentrai chez moi bien résolu à reprendre mes notes et à réfléchir mieux que je ne l'avais fait, car mon idée d'une vengeance était peut-être absurde mais elle avait l'avantage de me fournir une nouvelle interprétation de l'affaire... En cherchant bien, pourquoi ne découvrirais-je pas encore une autre version possible ?... Vite ! Au travail !

Hélas ! le jeune Mousseron m'attendait. Je vis tout de suite, à sa tête, que quelque chose n'allait pas. Je le fis entrer. Il se laissa tomber dans un fauteuil.

« C'est fini, dit-il. Nos projets sont par terre.

— Pourquoi ?

— Mon copain... le guitariste... le fils du diplomate... il nous lâche... Et comme c'est lui qui avançait les fonds... c'est cuit.

— Si nous procédions par ordre. Voyons ! Pourquoi vous lâche-t-il ?

— À cause de sa mère, une vieille garce qui ne veut plus entendre parler de nous. Elle l'emmène en Angleterre.

— Et c'est si grave ? »

Il me regarda comme s'il avait eu, devant lui, un pauvre d'esprit, un demeuré.

« Où voulez-vous que je trouve le fric, patron ? Monter un orchestre, pour des débutants, ça coûte !

— Mais je croyais que votre maison d'édition... »

Il haussa les épaules.

« Évidemment, on nous aide. Mais je sais, par les copains, comment ça se passe. Si on ne veut pas avoir l'air de minables, il faut en mettre de sa poche, et beaucoup.

— N'avez-vous pas une sœur ?... Ne pourrait-elle vous aider ?

— Elle ne s'est même pas dérangée quand j'étais à la clinique. D'ailleurs, elle va quitter la France.

— Quand avez-vous appris que votre ami vous lâchait ?

— Il y a une heure à peine, en revenant du cimetière. On devait répéter, et puis... Ah ! patron. Je n'ai plus qu'à me foutre à l'eau. »

Je sursautai violemment.

« Doucement, mon vieux, doucement. Vous vous rendez compte de ce que vous dites ? Si ce n'est qu'une question d'argent... Combien vous faut-il ?

— C'est difficile à prévoir. La bonne femme ne nous donnait pas un fixe. Elle nous commanditait.

— Attendez... Je pense à quelque chose... »

J'empoignai le téléphone et appelai Éramble. Ce petit Mousseron m'avait causé une telle peur que je ne parvenais plus à m'expliquer clairement. Enfin, Éramble comprit le genre de service que j'attendais de lui. Il redevint aussitôt l'homme d'affaires méfiant, qui ne s'engage pas à la légère.

« Passez-moi Mousseron. »

Ils parlementèrent longtemps, sans trouver un terrain d'entente. Excédé, je repris l'appareil.

« Sans garantie, répétait Éramble, je ne peux pas m'engager.

— Et... s'il travaillait pour vous ? Il a des connaissances, il préparait une licence... Il peut certainement vous rendre de grands services. »

L'argument ébranla Éramble.

« Envoyez-le-moi. Je vais voir s'il y a un moyen de le dépanner. »

Je jugeai plus prudent d'accompagner Mousseron. La discussion dura plus de deux heures. Elle aboutit enfin à un accord. Mousseron se chargerait du secrétariat. Il logerait au-dessus du magasin d'exposition. Il serait libre le samedi et le dimanche et chaque jour à partir de seize heures. Il travaillerait au pair, mais Éramble subventionnerait l'orchestre. Mousseron et ses amis se produiraient, pendant les week-ends, dans la région parisienne et, quand leur réputation serait confirmée, Éramble se réservait de prendre contact avec la maison d'édition et de négocier directement avec elle.

« Il n'y comprend rien, me confia Mousseron. Ce

n'est pas du tout comme ça que les choses se passent. Le moment venu, on l'enverra promener. »

Mais il n'avait pas le choix. Il accepta l'emploi la mort dans l'âme et entra en fonction dès le lendemain. J'éprouvai un immense soulagement. Sans l'avoir voulu, j'avais placé Mousseron auprès d'Éramble. Ils allaient se surveiller mutuellement et ainsi je serais tout de suite prévenu si l'un ou l'autre recommençait à ne plus marcher droit. Les jours qui suivirent me prouvèrent que mon calcul était bon. Tantôt, c'était Éramble qui me téléphonait ; tantôt, c'était Mousseron qui m'appelait et, ma foi, pendant quelque temps, les choses me parurent s'arranger. Éramble avait entendu Mousseron jouer du saxophone. Comme moi, il avait été frappé par ses progrès, et il apercevait déjà une spéculation possible. Quant à Mousseron, il supportait le marchand de meubles. Il le croyait, d'ailleurs, un peu fou. Éramble avait recommencé à parler de sa jambe et, de temps en temps, il ne pouvait s'empêcher de la montrer au jeune homme. C'est par Mousseron que j'appris la nouvelle lubie d'Éramble. Celui-ci regrettait, maintenant, d'avoir reçu la jambe de Myrtil. Autant il avait été heureux d'avoir été choisi pour la greffe, autant il se montrait désormais méfiant. D'après lui, cette jambe ne pouvait que lui porter malheur. C'est pourquoi il ne cessait d'interroger Mousseron pour savoir ce que le garçon ressentait, quand il jouait, quand il ne jouait pas, quand il marchait, quand il mangeait, quand il dormait. Un beau jour, il lui demanda à voir ses cicatrices. Mousseron me prévint : si cela continuait, il s'en irait. Je le calmai de mon mieux.

« Il est complètement cinglé, ce type-là ! s'écria-t-il.

— Mais non. Mettez-vous à sa place !

— Quoi ! J'y suis, à sa place. Moi aussi, je suis passé sur le billard. Je n'y pense même plus. Lui, il est tout le temps à tournicoter autour de moi. Si j'ai envie de fumer, il intervient. Je dois ménager mes poumons. Si je fais un petit somme, après le déjeuner, j'ai tort. Ça ne vaut rien pour la circulation. Je n'aime pas ces façons. Et puis, je vois bien ce qu'il a dans la tête. Pour lui faire plaisir, il faudrait que je me mette à poil, pour qu'il examine de plus près le travail de Marek.

— Ne le contrariez pas.

— Mais moi, ça me dégoûte ! »

Pourtant, il céda aux prières d'Éramble, et ce fut pire. Éramble fut littéralement fasciné par ce qu'il vit. Il voulut entendre battre le cœur de Myrtil.

« Une véritable auscultation, me confia Mousseron. Et des questions à n'en plus finir. Il prétend maintenant que j'ai eu la meilleure part, qu'il ne serait plus en proie à des angoisses s'il avait un cœur comme le mien. Sa jambe ne l'intéresse plus. Quand il sent que je vais me mettre en rogne pour de bon, il gémit. Il dit que j'ai hérité la dureté de Myrtil, que je finirai comme lui. »

Je retournai chez Éramble. Mousseron n'avait pas exagéré : le bonhomme se mit tout de suite à me parler de son locataire. Mousseron n'était qu'un petit arriviste, qui écrasait déjà tout le monde.

« Il me méprise. Il se prend pour Myrtil. Il est toujours à se frapper sur la poitrine. Moi, moi ! Il ne sait dire que cela. Je le mettrai à la porte ; voilà comment ça finira. »

Mousseron le devança et résolut de partir. Je m'entremis en vain. J'essayai de les raisonner, tous les deux, à la clinique, puisque nous nous réunissions régulièrement. Ils promettaient de se montrer conciliants, mais leurs querelles recommençaient aussitôt. Je suppliai Marek de tenter quelque chose.

« Je les observe, me répondait-il. C'est passionnant. Il est certain qu'Éramble commence une petite névrose, et qu'il faudra bientôt le traiter. Mais, avant, je voudrais voir comment il réagira quand Mousseron l'aura quitté.

— Il sera peut-être trop tard. »

Éramble devenait de plus en plus nerveux à mesure qu'approchait la date fixée pour le départ de Mousseron, et je ne savais plus que tenter.

« Tout le monde me méprise, disait-il. Déjà Simone... Et même vous, au fond. On aurait dû me laisser mourir sur la route... Je ne lui ai rien fait, moi, à ce petit ! »

La veille du départ arriva et nous nous réunîmes à la clinique. Cette fois, j'étais bien décidé à provoquer l'intervention du professeur. L'abbé s'inquiétait, lui aussi, et était prêt à me soutenir. Mousseron nous rejoignit, à neuf heures. Il était seul. Nous n'attendions plus qu'Éramble et Marek, demeuré auprès de Nérisse. Mousseron refusa d'entendre nos raisons. Il était excédé. Il se débrouillerait sans l'aide de personne. Il avait passé l'âge d'être tyrannisé par un bonhomme qui ne cessait de le harceler. Nous discutâmes longtemps. Marek, entré sans bruit, nous rassura sur l'état de Nérisse ; il se promettait de commencer bientôt un nouveau traitement. Quelqu'un fit alors remarquer qu'il était près de dix heures et qu'Éramble était toujours absent.

« C'est sans doute pour nous punir, dit le professeur. C'est classique. Mais je peux téléphoner, si vous le désirez.

— Je vous en prie », dis-je.

Il appela une fois, deux fois. Personne ne décrocha. Tout de suite, j'envisageai le pire. J'appelai à mon tour. Rien. Marek lui-même paraissait soucieux.

« Il faut aller là-bas, proposa l'abbé.

— Pourtant, je vous assure, quand je l'ai quitté, à quatre heures, dit Mousseron, il était comme d'habitude. Il surveillait la mise en place de deux chambres à coucher de style et il était très calme... Il veut sûrement nous faire peur. »

Marek nous prit à bord de sa Buick et nous partîmes. Dans un coin de la voiture, l'abbé disait son chapelet.

Les vitrines s'étendaient sur une grande longueur, protégées par une sorte de résille métallique. Quelques appliques éclairaient les meubles exposés et l'enfilade des salles qui s'enfonçaient dans une pénombre où luisaient des buffets, des armoires, des lits. Mousseron avait la clef et nous entrâmes, derrière lui ; cela sentait l'encaustique, le vernis et, imperceptiblement, le miel. Au passage, j'effleurai, du bout des doigts, des surfaces lisses et douces comme des fourrures.

« Il doit être au fond », dit Mousseron.

À droite, il y avait des salles à manger, derrière des cordons de velours rouge ; et à gauche, des cuisines diversement équipées ; puis vinrent des salons habités par des mannequins.

« C'est nouveau ! dis-je.

— Oui, expliqua Mousseron, il paraît que ça pousse à l'achat. Depuis quelque temps, il adore les mannequins. Il ne cesse pas de les tripoter... Attention à la marche ! »

Nous arrivions dans la partie la plus reculée des magasins.

« La chambre de la mariée », ricana Mousseron.

Il s'arrêta brusquement et je heurtai l'abbé qui marchait devant moi.

« Ne bougez pas ! » cria Marek.

Il enjamba le cordon qui nous séparait de la chambre. Je ne voyais que la mariée, debout devant le lit, un bras gracieusement levé vers son voile, et son visage, étroit comme un museau, nous offrant un sourire ambigu. Marek s'était agenouillé sur la peau d'ours étendue entre le lit et la coiffeuse. Je fis deux pas et j'aperçus le corps écroulé.

« Il est mort », dit Marek.

Mousseron repoussa les tiges de métal qui soutenaient le cordon et nous envahîmes la chambre. Éramble avait dû se coucher sur le lit avant de se tirer une balle dans la poitrine, car on distinguait des taches de sang sur la couverture. Une convulsion l'avait fait basculer et il était tombé sur la peau d'ours, à plat ventre. Le revolver avait rebondi sur le parquet et glissé jusqu'au mur.

« Surtout, dis-je, ne touchez à rien. Je vais téléphoner. »

Mousseron me conduisit au bureau.

« Vous croyez que c'est à cause de moi ? demanda-t-il.

— Mais pas du tout. En voilà, une idée !... »

Il se laissa tomber dans un fauteuil, appuya sa tête sur le dossier et ferma les yeux. Je réussis à toucher le commissaire de police. Pendant quelques instants, je fis encore une fois de mon mieux pour mettre en branle, prudemment, la machine administrative. Puis, en attendant le commissaire, je rejoignis le professeur. Il était toujours auprès du cadavre. L'abbé, à bout de forces, s'était assis au pied du lit.

« Plus que trois, murmura-t-il, en me voyant revenir.

— Allons ! fis-je, vous n'allez pas flancher, vous ! Éramble a craqué parce que... »

Je me tus. Il n'y avait pas de « parce que ». La mariée nous considérait, mutine, avec son bras levé. Marek, les mains dans les poches, faisait sonner de la monnaie, l'air absent.

« Et si ce n'était pas un suicide », reprit l'abbé, avec quelque chose, dans la voix, qui ressemblait à de l'espoir.

Cette remarque parut réveiller Marek.

« Le suicide est évident, dit-il. Le gilet est brûlé à l'endroit où le canon a touché la poitrine. Regardez ! »

Il prit Éramble par l'épaule et le renversa sur le côté. Je vis l'étoffe roussie, autour de la blessure.

« Vous êtes convaincus ? »

Il lâcha le corps qui reprit sa position première.

« Je ne comprends pas, ajouta-t-il, pourquoi il s'est tué. On a souvent observé que le suicide revêt des formes épidémiques. Il y a comme une contagion. C'est peut-être le cas. On a l'impression que chacun copie l'autre. Ils emploient tous le revolver.

— Sauf Simone Gallart.

— Oui, sauf elle, sans doute parce qu'elle n'en avait pas sous la main.

— Mais la contagion n'explique rien, observa le prêtre.

— Non. Ce que je crois, c'est que l'impulsion morbide a pour cause la personnalité même de René Myrtil. La greffe n'a rien à voir là-dedans. Il y a déjà eu des dizaines et des dizaines de greffes et jamais elles n'ont provoqué de désordres mentaux. Mais c'est la première fois qu'on utilise un criminel et cela provoque, chez le greffé, un état subconscient d'angoisse qui ne ressemble à rien de connu et...

— Je vous assure, dit l'abbé, que je ne ressens rien

de tel. Si votre théorie était fondée, je devrais, moi aussi, éprouver des tentations suspectes...

— Le découragement est peut-être, chez vous, la première atteinte du mal.

— Mais je ne suis pas découragé, du moins au sens où vous l'entendez. Je suis triste, bien sûr. Je sens que nous avons déchaîné des forces mauvaises et quelquefois je me demande si je ne suis pas un peu responsable de tant de malheurs... parce que je ne dis rien... parce que j'accepte... Mais je ne crois pas à vos états subconscients d'angoisse. D'abord, un prêtre n'a pas de subconscient !... »

Il y eut, dans la rue, des bruits de portières. L'arrivée du commissaire et d'un médecin coupa court à notre discussion. Je les pris à part et recommençai à palabrer. Ils étaient particulièrement méfiants, ces deux-là. Pendant un quart d'heure, ils se firent tirer l'oreille, craignant un scandale, des sanctions, que sais-je ? Ils allaient, venaient, examinaient le corps, regardaient soupçonneusement Mousseron, le prêtre et surtout Marek, posaient des questions.

« Je vais me coucher, patron, me dit brusquement Mousseron, qui se tenait adossé au mur. Je n'en peux plus. Ma chambre est au-dessus. »

Pour en finir, j'appelai M. Andreotti et lui passai le commissaire. Quand celui-ci sortit du bureau, il était tout pâle.

« Moi, je veux bien..., répétait-il. Tout ce qu'on voudra... Si la loi n'est plus la loi, alors il n'y a plus qu'à laisser tomber... Allez-y ! Emportez le corps ! »

Il se tourna vers le médecin.

« D'après vous, c'est un suicide. Vous en êtes sûr ?

— Absolument, dit le médecin.

— Dans ce cas, nous n'avons plus rien à faire ici. »

Il regarda encore une fois la mariée, puis la chambre où se multipliaient les reflets du voile blanc, hocha la tête d'un air dégoûté et nous salua sèchement.

« Aidez-moi », dis-je au médecin et à l'abbé.

Nous transportâmes Éramble jusqu'à la Buick.

« Au fait, observa le commissaire, donnez-moi donc le revolver. Il sera joint au rapport que je garderai dans mes archives.

— Mais... il est resté là-bas », dit Marek, qui fermait la marche.

Il fit rapidement demi-tour. Nous l'attendîmes quelques minutes sur le trottoir.

« Ah ! çà, reprit impatiemment le commissaire, il ne lui faut tout de même pas tellement de temps pour... »

Il rentra dans le magasin et je lui emboîtai le pas. Marek était accroupi dans la chambre.

« Le revolver ? fit-il. Enfin, je ne me trompe pas...

— Mousseron ! » m'écriai-je.

J'en étais certain ! Mousseron, sans que nous le remarquions, avait ramassé l'arme avant de monter dans sa chambre. À l'extrémité du magasin s'ouvrait une porte qui donnait sur un étroit palier où s'amorçait un escalier. Je grimpai les marches quatre à quatre. La porte de la chambre était fermée mais un rai de lumière filtrait au fond du couloir. Mousseron était étendu sur son lit. Il s'était tiré une balle dans l'oreille. Le commissaire ramassa immédiatement le revolver, un 7,65. J'aurais dû penser qu'il y avait une arme dans le magasin. J'aurais dû penser à tant de choses ! Le préfet aurait mieux fait d'engager un policier !

Pendant que Marek examinait Mousseron, le commissaire alla chercher le médecin. Mais il n'y avait plus rien à tenter. Le pauvre garçon était mort sur le coup. Nous l'emportâmes à son tour. Quand l'abbé nous vit revenir avec le corps, il eut une défaillance. Le médecin le fit monter dans sa Citroën.

J'étais presque soulagé de ne pas avoir à m'occuper de lui. Marek partit de son côté. Je restai avec le commissaire pour régler les derniers détails. Je fermai la porte et lui remis la clef.

« Voulez-vous que je vous dépose quelque part? offrit-il.

— Merci. J'accepte volontiers. Je suis épuisé. »

Il me conduisit à mon domicile. En cours de route, nous arrêtâmes les termes des communiqués qu'il faudrait bien faire à la presse. Mais deux suicides, à Paris, ce n'est même pas un fait divers. Personne ne poserait de questions.

« Du côté des familles? demanda-t-il.

— Eh bien, la routine habituelle. Nous dirons qu'ils ont été victimes d'une dépression nerveuse. C'est d'ailleurs la vérité. »

J'invitai le commissaire à prendre un verre. Il était très intrigué mais s'appliquait à garder une réserve un peu froide. Par courtoisie, je lui confiai que les deux désespérés avaient subi, quelque temps auparavant, une intervention chirurgicale d'une nature particulière.

« Ils souffraient beaucoup?

— Voilà! dis-je. Ils souffraient trop. Mais c'est justement ce qui doit être caché, jusqu'à nouvel ordre. »

Satisfait d'être dans le secret, il me souhaita une bonne nuit et se retira. Une bonne nuit!... Je fumai un paquet de cigarettes, tout en marchant, à travers l'appartement, d'une pièce à l'autre, jusqu'à l'aube. Pour la centième fois, j'examinai chacune de ces morts à la loupe, me remémorant le plus petit détail. Et toujours j'éprouvais le même malaise; toujours il me semblait que j'oubliais quelque chose d'essentiel. Bien sûr, c'étaient des suicides, mais... À tort ou à raison, je m'imaginais que, pour se tuer, il fallait des motifs plus graves, plus impérieux. Jumauge, oui, j'admettais sa mort. Mais déjà, pour Simone, j'étais moins convaincu. Pour Gaubrey, je devenais tout à fait réticent. Et pour Éramble et Mousseron, là, je disais non. Surtout Mousseron, si plein de vie et, au fond, si égoïste. Et, de plus, il n'aimait pas Éramble. Qu'il ait été un peu secoué par ce suicide théâtral, soit. Mais de là à prendre le revolver, à nous quitter avec ce naturel parfait et à se tirer une balle sans même écrire un mot d'adieu, une phrase d'explication... Ou alors, il fallait en revenir à la théorie du professeur, qui, au fond, était la mienne : il existait un lien mystérieux entre toutes les parties du corps de Myrtil. Jumauge, par son geste inconsidéré, avait tranché ce lien, et, de proche en proche, le corps réanimé s'était défait. La mort de Jumauge avait déclenché une sorte de processus de décomposition qui était allé en s'accélérant. Ce n'était pas Myrtil, la cause initiale de ces drames. C'était Jumauge, ce que j'avais, d'ailleurs, toujours soupçonné. Si cette théorie, en dépit de ses lacunes, était juste, Nérisse et l'abbé étaient perdus. Ils vivaient encore par miracle, l'un parce qu'il était placé sous une surveillance continuelle ; l'autre, parce que sa force morale opposait encore un obstacle à l'envahissement du mal. Mais ils succomberaient fatalement.

J'avais l'impression de discerner une vague lueur au sein des ténèbres Certes, je n'avais encore aucune explication précise à donner, mais j'apercevais mieux le sens général de la contagion. Les cinq avaient présenté, maintenant que j'y réfléchissais méthodiquement, les mêmes symptômes. Leur résistance avait été sapée par le remords. Pour Jumauge, c'était évident. Pour Simone, il n'y avait pas de doute non plus. Gaubrey ne s'était pas pardonné sa capitulation. Éramble offrait un cas plus complexe, mais il n'était pas très difficile de comprendre qu'il s'en voulait d'être un homme faible, tourmenté par des impulsions bizarres et malsaines... Quant à Mousseron, il avait cru, naïvement, qu'il était responsable de la mort d'Éramble... Et même — cette pensée m'emplit de terreur — et même l'abbé avait dit, je m'en souvenais parfaitement : « Je me demande si je ne suis pas un peu responsable de tant de malheurs. » Lui aussi commençait à céder au remords !

Je me versai une bonne quantité de whisky que je bus sans eau. La fatigue me plantait son couteau dans le dos, dans les flancs, mais ce n'était pas le moment de lâcher prise. Je tenais l'idée. Le remords ! Ça signifie quoi, le remords ? Qu'on est dégoûté de soi, qu'on ne peut se regarder sans honte, qu'il y a divorce entre la conscience et le corps. Divorce ! Comme si le corps tirait d'un côté et l'esprit de l'autre ! Quand le désir de mourir se tapit obscurément dans le sang et les os, il se manifeste à la conscience sous la forme du remords. Et le remords, comme un aimant, attire à lui les raisons, bonnes et mauvaises, grossit, se développe, comme un cancer, crée peu à peu la suggestion fatale. C'était bien cela, le mécanisme de ces cinq suicides. Jumauge se serait peut-être tué de toute façon. Mais sa mort avait provoqué une sorte de rupture d'équilibre, au moment où chacun des opérés s'efforçait d'intégrer l'organe greffé. Physiquement, la greffe avait réussi. Psychiquement, elle avait raté...

J'étais épuisé, la tête bourdonnante de phrases creuses... Physiquement, psychiquement... qu'est-ce que tout cela voulait dire ? J'étais en train de me raconter un de ces contes à faire peur, comme on les aimait au siècle dernier, quand on croyait au magnétisme, à l'hypnotisme et autres fariboles. Ce qui restait certain, c'était que Nérisse et l'abbé étaient en danger. Nérisse était en bonnes mains. Je m'occuperais de l'abbé aux premières heures de la matinée.

Je commençais à me déshabiller quand le téléphone sonna. J'eus de la peine à reconnaître la voix de Marek, tellement elle était tremblante et rauque.

« Nérisse vient d'avaler un tube de gardénal.

— Quoi ?

— Il a profité du moment où je procédais aux autopsies avec mes collaborateurs pour se lever, s'introduire dans mon bureau et avaler je ne sais combien de comprimés.

— Et alors ?

— Alors, je ne m'en suis pas aperçu tout de suite, évidemment. J'ai fait le nécessaire mais je n'ai pas grand espoir.

— Est-ce que je peux venir ?

— S'il vous plaît... J'aimerais mieux... »

Je fus prêt en cinq minutes. Ainsi, j'avais vu juste, à travers mes élucubrations fumeuses. Je sautai dans ma voiture et, à toute allure, je me dirigeai vers Ville-d'Avray. J'étais effondré et pourtant satisfait. J'aurais un exposé complet et assez cohérent à faire au préfet. Et puis, j'allais mettre tout en œuvre pour sauver l'abbé.

Marek m'attendait. Il m'entraîna dans la chambre de Nérisse. Celui-ci portait sur le visage le masque de la mort : teint crayeux, orbites creuses, nez pincé. Un long tuyau de caoutchouc descendait d'une grosse ampoule de verre et disparaissait sous le drap.

« Il est très bas, chuchota Marek.

— Avez-vous un peu d'espoir ?

— Très peu. »

Il paraissait aussi touché que Nérisse. En une nuit, il avait vieilli de plusieurs années. Ses rides s'étaient accusées, sa peau était blême. Sa voix, surtout, était méconnaissable.

« J'ai fait l'impossible, dit-il. Venez. »

Nous allâmes dans son bureau. Il y avait encore, sur la table, le tube vide.

« Il l'a pris dans le tiroir, continua Marek. Il allait et venait ici comme chez lui. Je ne me méfiais pas. Hier soir, vous vous rappelez, il m'avait un peu inquiété. Il m'avait paru sombre, dans la journée ; il est vrai que, depuis la mort de Gaubrey, il était particulièrement taciturne. M'a-t-il entendu rentrer ? A-t-il surpris quelque chose ? C'est possible. Quand je suis allé dans sa chambre, il était sans connaissance. J'ai mis en œuvre tous les moyens à ma disposition, mais il ne réagit pas. S'il meurt... je perds tout ! Ce sera forcément l'échec de toute l'expérience... J'irai en Amérique, si l'on veut de moi.

— Il reste peut-être une chance.

— Oh ! toute petite... Si, ce soir, il vit encore, j'arriverai à le tirer de là. Mais, pour le moment, je ne peux plus rien. La science a des limites. »

Il dit ces mots avec une rage froide. Je sentais que la pire épreuve, pour lui, c'était de reconnaître son impuissance, d'admettre qu'il n'était pas encore le maître de la vie et de la mort. Je lui fis part des idées qui m'étaient venues. Il m'écouta avec une attention extrême. Dès qu'on lui exposait une théorie, il se mettait à vivre non pas seulement par le regard, intensément brillant, mais par tous les membres, par toute la peau.

« Curieux, fit-il, très curieux. Et acceptable... non ? »

Il cherchait le mot.

« Plausible ? dis-je.

— Exact. Très plausible.

— Or, vous remarquerez, poursuivis-je, que Nérisse, en supposant que vous le sauviez, sera le premier rescapé du suicide. Sur les autres, nous ne savons rien. Jumauge a bien laissé quelques notes... Gaubrey, un morceau de papier... Si Nérisse consentait à s'expliquer, nous saurions ce qu'il a éprouvé ; nous connaîtrions enfin ses motifs, et du même coup ceux des autres... Il faut absolument que vous le tiriez de là !

— Je comprends, murmura pensivement Marek. Il faut attendre. De toute façon, il ne sera pas en état de parler avant plusieurs jours. »

Nous retournâmes le voir. Il n'avait pas bougé. Un infirmier le surveillait. J'avais hâte de parler à l'abbé. Marek me suggéra de le faire venir à la clinique. Nous serions plus tranquilles pour causer. Je lui téléphonai donc et il me promit de faire diligence. L'attente commençait. J'avais déjà bien des fois compté les minutes, notamment la nuit où Myrtil avait été exécuté. Mais je n'avais jamais été plus impatient, parce que j'avais presque la certitude que Nérisse nous révélerait un grand secret, un terrible secret. Je ne cessais de regarder ma montre. Je descendis dans la cour où les chiens m'accueillirent par des gémissements. Je revins dans le bureau. Je ne tenais plus en place. Et pendant ce temps, Nérisse arrachait à l'étouffement chacun de ses souffles. La vérité dépendait, en ce moment, d'un nerf, d'un vaisseau, d'une cellule mal oxygénée. C'était insoutenable. L'abbé arriva, heureusement, et je lui annonçai le suicide de Nérisse. Il ne fut pas étonné.

« Enfin, m'écriai-je, vous n'allez pas me dire que vous vous y attendiez !

— Si... si, parce que c'est logique. L'expérience du professeur ne peut pas réussir. Elle va contre les lois de la vie, contre la volonté de Dieu ! »

Il s'assit dans le fauteuil de Marek et essuya son front en sueur de sa main droite, toujours gantée de noir. Lui aussi était durement marqué par les événements.

« Allons donc ! fis-je. Que savez-vous de la volonté de Dieu ? D'abord, Nérisse n'est pas mort !

— Il mourra. Nous mourrons tous. Chaque matin, je prie pour que la vie me soit ôtée d'une manière ou d'une autre. Avec ce bras qui n'est pas à moi, je vis dans le mensonge.

— Vous auriez préféré être manchot ? Vous auriez mieux servi Dieu ? Écoutez-moi, plutôt. »

Je lui exposai mon hypothèse et lui montrai le rapport que je voyais entre le remords et la tentation de recourir au suicide.

« Et vous aussi, dis-je en terminant, vous êtes atteint. Le remords est déjà en train de vous détruire, oui ou non ?

— Oui, murmura-t-il. Je ne me reconnais plus. Mais je vous jure que ça ne va pas plus loin. Jamais je ne... »

Il se signa puis croisa ses mains pour en réprimer le tremblement.

« Je me reproche seulement, reprit-il, d'avoir respecté votre consigne du silence. Je me suis fait le complice de quelque chose que j'ignore mais qui est redoutable. Vous défendez des intérêts, monsieur Garric. Moi, je ne dois défendre que la vérité. »

On ne pouvait plus discuter avec lui. Il était buté. Je fis cependant une dernière tentative.

« Supposons, dis-je, que j'aie raison. Supposons qu'il y ait en vous, à votre insu, une espèce de lassitude, un désir de ne plus toujours penser à ce bras... vous me suivez ?... ce bras est en quelque sorte trop lourd à porter. Il est votre croix.

— Mais justement... C'est ce qu'il est !

— Ah ! vous voyez !... Eh bien, toutes les pensées qui vous viennent, tout ce désespoir latent, est-ce que ce n'est pas sa façon à lui de se détacher de vous et de vous détacher de lui ? Votre bras ne peut pas parler, bien sûr. Mais il peut être à l'origine d'une révolte organique que vous traduisez, vous, en paroles. Et ces paroles expriment toutes une hostilité systématique contre l'expérience de Marek, contre le professeur lui-même, contre moi... Vous êtes devenu un opposant. Il y a en vous quelque chose qui dit non et vous prenez le parti de cette chose. Vous êtes manœuvré, l'abbé !

— Mon Dieu, s'écria-t-il. Je ne sais plus... Je perds la tête, à la fin.

— Comme Gaubrey, comme Éramble, comme Mousseron...

— Arrêtez ! Je vous en prie, monsieur Garric. Oui, vous avez sans doute raison. Mais que voulez-vous que je fasse ?

— D'abord, vous ne devez pas rester seul. Jamais !... Parce qu'un jour, tout à coup, comme les autres, vous céderez, sans l'avoir voulu, malgré vous... »

Il regardait sa main en deuil, sagement appuyée sur son genou, cette main qui serait capable de s'emparer d'une arme, et je sentais sa peur, je voyais qu'il luttait pour rester digne et calme.

« Il faut que vous reveniez ici pendant quelque temps, jusqu'à ce que Nérisse reprenne conscience, si nous avons un peu de chance et, s'il meurt, jusqu'à ce que vous soyez guéri, jusqu'à ce que votre unité soit refaite. Je resterai près de vous. Je vous promets que nous en finirons avec ce cauchemar. »

Il était d'une bonne volonté sans limite. Il me promit de revenir le soir même, dès qu'il aurait réglé avec son curé les petits problèmes que son absence allait poser. J'étais, à ce moment-là, certain d'avoir choisi la meilleure solution, je l'affirme. Si Nérisse résistait, il parlerait et nous prendrions nos dispositions pour désintoxiquer nos deux survivants. S'il mourait, nous monterions la garde près de l'abbé aussi longtemps qu'il serait nécessaire. C'est pourquoi je retournai chez moi pour faire mes bagages comme si je devais partir pour un assez long voyage. Et puis, à peine la porte fermée, je décidai de dire un petit bonjour à Régine ; les bonnes raisons ne manquaient pas ! Elle ne devait pas s'inquiéter de mon absence ; si elle avait, de son côté, quelque chose à me confier, elle devait savoir où me trouver... Bref, j'avais une terrible envie de lui parler, de l'entendre. Nous passâmes une heure ensemble. J'ai oublié ce que nous avons dit, des banalités, sans doute. Mais je me rappelle qu'en la quittant, je lui baisai la main. C'était ridicule. Mon geste avait été, en partie, machinal. Et pourtant, je la revois, les yeux humides, incapable de prononcer un mot, soudain bouleversée et prête à se jeter dans mes bras. Si je n'avais pas été obligé de regagner la clinique... Je m'arrachai donc à Régine et, trois quarts d'heure plus tard, je prenais possession de ma nouvelle chambre, bien décidé à gagner la dernière bataille. Nérisse vivait toujours. Le professeur était auprès de lui, encore très inquiet mais conservant quelque espoir. Je voulus le remplacer et prendre mon tour de garde. Il refusa nettement. Nérisse appartenait exclusivement aux médecins jusqu'à sa convalescence, s'il allait jusque-là ! Je m'installai, rangeai mes affaires, disposai mon dossier, mes notes, sur une petite table, devant la fenêtre. Les heures passèrent. De temps en temps, j'allais aux nouvelles. Marek entrebâillait la porte, ne montrant qu'une moitié de visage, un œil sombre dans un lacis de rides. Il hochait la tête. Nérisse durait, toujours inconscient mais obstiné à vivre.

L'abbé nous revint un peu avant le dîner. On nous avait dressé une table dans la salle où s'était réunie l'Amicale. Nous n'osions pas parler à voix haute. Nos voix nous effrayaient. Nous mangeâmes tristement, tête à tête. Marek nous rejoignit pour boire avec nous une tasse de café. Il paraissait un peu plus détendu.

« Le cœur n'est pas mauvais, en ce moment, nous dit-il. Si Nérisse était d'une constitution plus robuste, je serais optimiste. Mais, après ce qu'il a subi, je ne suis sûr de rien. »

L'abbé avait une chambre contiguë à la mienne. Il s'y retira de bonne heure et je l'entendis qui priait. Puis le murmure s'éteignit, et ce fut notre première nuit, dans la forteresse qui devait tenir la mort en respect. Le lendemain, Nérisse n'était plus aussi livide. Son cœur retrouva un rythme normal et Marek redevint l'homme pressé, sûr de lui, que nous avions connu. Il s'enferma dans son bureau avec l'abbé. Au déjeuner, j'appris qu'il l'avait examiné à fond, puis qu'ils avaient discuté longuement.

« C'est un monstre, me confia l'abbé. Il ne croit qu'en la science. Mais il est certainement d'une intelligence exceptionnelle. Moi, je ne suis qu'un pauvre homme; je ne lui arrive pas à la cheville. Seulement j'ai le bon sens qui lui manque et je sais bien qu'il se trompe. Et vous aussi, monsieur Garric, vous vous trompez. »

Nous avions trouvé là un sujet de controverse qui ne pouvait pas être épuisé. Les jours s'écoulèrent sans trop de monotonie.

« Faites-le parler, m'avait recommandé Marek. C'est la forme moderne de la saignée. Et c'est plus efficace ! »

Nous échangeâmes des arguments, pendant que Nérisse, tout doucement, revenait à la vie. Marek était de plus en plus satisfait. Un soir, il nous dit :

« Demain, nous l'interrogerons. Il n'y a plus rien à craindre. »

L'abbé se retourna longtemps, sur son lit. Moi-même, je ne parvenais pas à trouver le sommeil. Demain ! Demain la vérité !

À neuf heures, nous étions au pied du lit de Nérisse. Marek nous avait défendu de fatiguer le malade par des questions nombreuses et difficiles. Nérisse paraissait encore très faible. Un infirmier lui avait taillé la barbe et coupé les cheveux, ce qui lui donnait l'air mieux portant mais il y avait, dans ce visage, quelque chose de flou qui n'appartenait plus à Myrtil. Ce fut du moins mon impression et cette figure, colonisée par un médiocre, m'inspira une grande pitié. Marek, d'un geste plein d'une sollicitude qui me surprit, remonta les couvertures.

« Il a toujours froid », nous dit-il.

Nérisse souriait faiblement. Nous le félicitâmes de sa bonne mine et, après quelques banalités, ce fut l'abbé qui prit l'initiative de l'interroger.

« Vous auriez dû vous confier à nous, dit-il. Voyons, qu'est-ce qu'il y a eu exactement ? Vous avez eu peur ?

— Oui, murmura Nérisse, de sa voix meurtrie.

— Pourquoi ?

— J'ai entendu du bruit. Je me suis levé... J'ai vu passer Éramble, sur le chariot, puis Mousseron... Alors, j'ai compris que nous étions tous condamnés.

— Mais non, plaisanta l'abbé. Regardez-moi. Est-ce que j'ai l'air condamné ?

— Vous comme les autres. »

Interloqué, l'abbé se tourna vers moi. Je me hâtai d'intervenir.

« Vous oubliez que vous êtes encore là, Nérisse. Vous voyez bien que personne n'est condamné. Les autres, c'est spécial. Ils avaient leurs problèmes, que personne ne pouvait résoudre à leur place... Mais vous !

— Moi, je suis un déchet. »

Marek fronça les sourcils.

« Vous ne m'aviez jamais dit cela, remarqua-t-il.

— Mais tout le monde le pense. Je vis, bien sûr, mais comme un cloporte, en me tenant toujours dans les coins, à l'écart. Et je souffre presque sans arrêt... »

Marek s'agitait de plus en plus.

« Je n'en crois rien, s'écria-t-il. J'ai fait, sur vous, de trop nombreuses observations.

— Je ne dis pas que j'ai mal, rectifia Nérisse. Je dis que je souffre... J'ai senti venir la mort de chacun de nous... J'ai souffert dans mon ventre, dans mon bras, dans mes jambes... et maintenant, c'est ma main droite qui crie...

— Il délire », chuchotai-je vivement.

L'abbé posa sa main gauche sur son gant et se pencha en avant, car Nérisse s'exprimait avec difficulté.

« C'est une manière de parler... poursuivait-il. Ça fait du bruit dans ma tête et ça retentit jusque dans ma main.

— Mais vous, l'autre soir, dis-je. C'est ce que vous avez ressenti ?

— Oui. J'ai su que c'était mon tour.

— Comment l'avez-vous su ? »

Il chercha ses mots, longtemps, les yeux clos.

« Le bruit... fit-il, un sifflement... Ça me tombait dessus ! »

Il ouvrit la bouche, comme si l'air lui manquait. Marek lui tâta le front, les joues, nous désigna la porte.

« Bon, bon, fit-il. Ne vous agitez pas. Vous êtes à l'abri, ici... Reposez-vous... Nous reviendrons plus tard. »

Il nous rejoignit dans le couloir.

« Il raconte n'importe quoi... grommelai-je. Cette histoire de sifflement, qu'est-ce que ça signifie ?

— La guillotine », dit l'abbé.

Nous restâmes cloués... C'était tellement abominable.

« Mais alors... fis-je. Il se souvient ?

— Impossible, déclara Marek avec force. Impossible. Rappelez-vous toutes nos expériences. Je crois qu'il interprète ce qu'il éprouve... Il dramatise... Il présente encore de légers troubles circulatoires qui se traduisent par des fourmillements dans les membres, des bourdonnements d'oreilles... En soi, ce n'est rien. Seulement, il est en train de composer, avec tout cela, je ne sais quel roman, et ça m'ennuie. »

Nous descendîmes dans son bureau, pour fumer quelques cigarettes et boire une tasse de café. L'abbé restait silencieux.

« J'espère, dis-je, que vous n'attachez aucune importance à ses élucubrations ?

— Non... non, évidemment. »

Le professeur se lança dans des explications techniques trop compliquées pour nous. Il cherchait surtout à masquer son trouble. Je l'interrompis.

« Nous n'avons rien appris, en définitive. Ou plutôt, il semble que Nérisse ait agi dans une sorte de délire...

— C'est de la possession, dit l'abbé. Les exorcistes

sont plus renseignés là-dessus que les médecins. On cite des possédés qui étaient capables d'annoncer, sans erreur, des événements à venir et...

— L'abbé, repris-je, soyez franc. Il vous a fait peur; vous croyez vraiment qu'il a des pressentiments?

— Pourquoi pas? »

La discussion éclata aussitôt. Marek traita le prêtre d'illuminé et l'abbé lui reprocha son matérialisme à courte vue. Nous étions énervés, tous les trois, déçus par les propos de Nérisse et en proie à un malaise qui s'accrut d'heure en heure. Après le déjeuner, je proposai au professeur de faire une nouvelle tentative. Nous retournâmes auprès de Nérisse qui somnolait.

« Il y a un point, dis-je, que nous ne comprenons pas bien. Vous aviez mal, dans la tête. Soit. Mais à ce moment-là, est-ce que vous avez décidé d'avaler du véronal ou bien est-ce que vous avez cédé à une sorte d'impulsion plus forte que votre volonté?

— C'est bien compliqué pour lui », observa Marek.

Nérisse cherchait, tâtonnait parmi des souvenirs énigmatiques.

« Je voulais dormir, dit-il enfin. Je suis bien quand je dors. Je m'échappe...

— Vous êtes donc prisonnier? »

Je crus voir briller dans ses yeux une lueur de malice; mais non, ce n'était que le reflet du plafonnier. Son regard n'exprimait rien qu'un ennui insondable.

« Je ne sais pas, murmura-t-il. Je ne pense plus. C'est fatigant de penser!

— Aviez-vous une raison de mourir?... Les autres en avaient une. Mais vous? Vous vous plaisez, ici. Vous ne manquez de rien. Vous êtes bien soigné. Alors? »

L'abbé se pencha vers le lit.

« C'est votre tête qui ne vous plaît pas ?

— Je regrette la vraie.

— Mais celle-ci est aussi vraie que l'autre, protesta Marek. Elle est même mieux !

— Vous ne comprenez pas », dit doucement Nérisse, puis il ajouta : « Moi non plus, je ne comprends pas bien... C'est quand je cherche que le bruit commence... »

Il ferma les yeux et soupira de lassitude.

« Si vous désirez vous confesser, dit l'abbé, je suis là, tout à côté. Faites-moi appeler.

— Merci », fit Nérisse.

Quand nous fûmes sortis, l'abbé nous arrêta.

« Cet homme a surtout besoin d'un secours moral, observa-t-il. Comme nous tous ! Il étouffe, ici. Il vit comme un cobaye, comme ces chiens, tenez, derrière leurs grillages.

— On peut le transférer dans une maison de santé.

— Mais non, justement. Toujours des blouses blanches, des odeurs de salle d'opération, des remèdes, des drogues, des piqûres, c'est absurde !

— Où voulez-vous qu'il aille, dans son état ? » demandai-je.

L'abbé haussa les épaules et s'enferma dans sa chambre. Le soir, il refusa de recevoir Marek. Nos rapports s'envenimaient, d'une manière inexplicable. L'abbé m'en voulait, je crois, parce que j'étais souvent de l'avis du professeur contre lui. Marek cachait difficilement l'aversion que le prêtre lui inspirait.

« Je ferais mieux de m'en aller, me dit l'abbé, un matin, tandis que nous déjeunions, sans entrain, face à face. Je n'ai pas besoin du traitement qu'on m'impose. Le vrai malade, ici, c'est votre Marek.

— Nous lui devons une fière chandelle, à “ mon ” Marek ! Il a sauvé Nérisse, il me semble. »

Ces escarmouches m'agaçaient. Les conciliabules que l'abbé tenait avec Nérisse mettaient Marek en fureur. Car Nérisse, depuis quelque temps, réclamait l'abbé plusieurs fois dans la journée. Marek aurait voulu savoir ce qu'ils se racontaient ainsi, à voix basse. Mais l'abbé ne répondait pas aux questions. À peine s'il consentait à dire : « C'est un malheureux... Il a toujours redouté la solitude... » Ou bien : « Je lui tiens compagnie... Nous bavardons. »

La situation ne pouvait pas durer. Nérisse allait beaucoup mieux. Il se levait. Manifestement, il n'avait aucun désir de tenter quelque chose contre lui-même. De son côté, l'abbé n'avait plus rien à faire à la clinique, puisqu'il refusait de se laisser examiner par le professeur. Nous commencions tous à oublier la mort d'Éramble et de Mousseron. J'avais, moi-même, grande envie de reprendre ma liberté. Un reste de prudence, pourtant, nous retenait encore. Que se passerait-il quand l'abbé ne serait plus surveillé ? Quand Nérisse retournerait à ses occupations ? Je m'ouvris de mes craintes à l'abbé, très franchement.

« Il en sera ce que Dieu voudra, me répondit-il.

— D'accord. Mais êtes-vous sûr de vous ?

— Autant qu'on peut l'être.

— Êtes-vous sûr de Nérisse ?

— Oui. L'expérience qu'il a faite, on ne la recommence pas. »

Je m'adressai au professeur. Il fut moins catégorique mais il estimait, comme moi, que nous avions tenté l'impossible. S'il y avait encore un risque, il fallait le courir.

« Et si rien ne se produit, dis-je. Jamais nous ne saurons pourquoi les autres sont morts.

— Le saurions-nous davantage, s'ils venaient, tous deux, à disparaître ? » m'objecta-t-il.

C'était l'évidence même. D'un commun accord,

nous fixâmes notre départ au surlendemain et l'atmosphère parut s'alléger. L'abbé et Marek échangèrent quelques propos aimables. Je profitai de la trêve pour téléphoner à Régine et lui donner rendez-vous. Puis je rendis visite à Nérisse. Il lisait, enveloppé dans une chaude robe de chambre où il disparaissait tout entier. Il apprit notre décision sans émotion. Il savait, d'ailleurs, que nous reviendrions souvent.

« Il me semble que je suis guéri, dit-il. Mais j'aimerais quand même mieux me confesser. Après, je me sentirais plus tranquille.

— Vous êtes blanc comme neige, plaisantai-je.

— Pourtant, j'ai eu ce geste ! Je ne comprends vraiment pas ce qui m'a poussé... Mais, voyez-vous, j'aime presque mieux qu'ils soient tous morts... Je me suis fait à cette idée... Le coup est encaissé. Maintenant, il ne se produira plus rien. »

Il se leva pour m'acompagner et me serra la main.

« Je vous envoie l'abbé », dis-je.

Il était dans sa chambre et lisait son bréviaire. Son visage s'illumina quand je lui appris que Nérisse voulait se confesser. Il y avait des jours et des jours qu'il attendait cela !

« Mais attention, précisai-je. S'il vous confie quelque chose, concernant son suicide, qui puisse jeter un peu de lumière sur la mort des autres...

— Je ne pourrai rien dire, vous le savez bien, monsieur Garric.

— Ça dépend. Il peut vous faire une confidence qui dépasse son propre cas, qui présente un intérêt médical... Dans ces conditions, vous n'êtes pas obligé de l'entendre jusqu'au bout. Vous avez le droit, je pense, d'exiger de lui qu'il révèle au professeur tout ce qui est susceptible de le renseigner sur les suites de son expérience. »

L'abbé ferma son bréviaire d'un coup sec.

« Je suis le seul juge », dit-il.

Je n'insistai pas mais rédigeai une note que je rangeai dans mon dossier. Tout était consigné là, jour après jour : conversations, coups de téléphone, observations diverses. Si l'affaire venait à prendre une tournure imprévue, si, par exemple, j'étais obligé de me défendre, je serais couvert. Ensuite, j'allai trouver Marek pour lui payer ce que nous lui devions, l'abbé et moi. Il refusa, tout d'abord, puis finit par céder à mes prières. Il m'avoua même que sa situation n'était pas très brillante. Il avait reçu des sommes assez importantes, provenant des fonds secrets, pour mener à bien sa tentative; on avait souhaité, en haut lieu, que sa clinique fût, en quelque sorte, neutralisée pendant un certain temps, pour réduire encore les risques d'indiscrétion. Mais les crédits prévus s'étaient révélés, comme toujours insuffisants, et le professeur avait hâte de recevoir de nouveaux clients. Il ignorait tout des intentions du gouvernement. Rendrait-on finalement publics les résultats obtenus? Garderait-on le silence?

« Ces suicides successifs ne valent rien pour moi, observa Marek. Mes rapports sont prêts. Médicalement, la partie est gagnée. Totalement gagnée. Il y a, cependant, ces faits sur lesquels on peut toujours m'attaquer. »

Je compris qu'il me sondait. Peut-être s'imaginait-il que mon influence serait déterminante, le jour où s'ouvrirait le débat. Je le rassurai de mon mieux. La porte de son bureau fut poussée brutalement.

« Eh bien, cria Marek, en colère.

— Nérisse, dit l'infirmier. Il a une crise. »

Nous nous précipitâmes. Nérisse était allongé sur son lit. Il gémissait, se tordait lentement, d'un flanc sur l'autre.

« Attendez-moi dehors, monsieur Garric, dit

Marek. Tout cela, c'est la faute de l'abbé. Jamais je n'aurais dû permettre... »

J'attendis, le cœur battant. La confession de Nérisse avait dû provoquer quelque chose de capital... l'abbé avait sans doute refusé l'absolution si son pénitent ne nous disait pas toute la vérité... En un instant, j'imaginais vingt explications. Mais quand Marek sortit, je me sentis en partie rassuré. Il avait l'air moins ému qu'excédé.

« Ça recommence, dit-il. Toujours la même obsession. Il prétend qu'il est maudit, maintenant... Il a fait du propre, votre petit curé. Où est-il ?

— Dans sa chambre, je suppose. »

Il y était, en effet ; pendu à l'espagnolette. Je m'évanouis.

Je ne fus pas, à proprement parler, en danger, mais, pendant une semaine, je fus isolé et mis au silence. Le professeur me soigna admirablement mais avec une rigueur inflexible. Il craignait des complications, car le choc avait été terrible et je n'étais pas fait pour supporter tant d'émotions. Progressivement, il consentit à parler. Il passait me voir après le déjeuner, s'asseyait à mon chevet, me prenait la main. Je l'avais beaucoup inquiété, au début. Nérisse, aussi, lui avait donné bien des soucis, et lui en donnait encore. Mais nous allions mieux, tous les deux. Il n'était pas question, pour moi, de quitter déjà la clinique. D'ailleurs, le nécessaire avait été fait. Le malheureux prêtre avait été inhumé au cimetière de Vanves. Pour tout le monde, il avait été frappé d'une congestion cérébrale. M. Andreotti avait tout arrangé.

Marek, comme toujours, avait été d'une parfaite efficacité. Les obsèques avaient eu lieu très discrètement. Régine n'y était pas allée, n'avait pas envoyé de couronne; et je fus très sensible à cette discrétion. Restait la question, l'unique et terrifiante question : pourquoi l'abbé s'était-il tué? Nérisse lui avait-il dit quelque chose qui...? Impensable! Marek n'avait pas encore interrogé Nérisse qui, toutes les précautions ayant été prises, ignorait ce dernier suicide. On le lui apprendrait plus tard, si on le jugeait nécessaire. Mais Nérisse, son obsession mise à part, avait le même comportement qu'auparavant. Sa crise s'était produite exactement comme les précédentes, bien qu'avec plus de violence. Il avait présenté les mêmes symptômes, au moment de la mort de Gaubrey, et surtout un peu avant celle d'Éramble et de Mousseron.

« Je suis bien obligé de croire qu'il y a eu un lien de nature télépathique entre Nérisse et les autres greffés. C'est peu scientifique mais un fait est un fait », constatait Marek, mélancoliquement.

Je me hasardai à lui demander des nouvelles de Régine.

« Elle téléphone tous les jours, dit-il. Tous ces événements l'affectent beaucoup. Elle a du cœur, cette fille ! »

Remarque étonnante, de la part de Marek. Ou plutôt non. C'était aussi un fait qu'il constatait. Nous formulions d'autres hypothèses concernant l'abbé. Mais, dès que je commençais à m'agiter, Marek m'administrait un tranquillisant et j'oubliais, pour un temps, le problème qui m'angoissait si fort. Lentement, je retrouvais mon équilibre. Je n'avais plus continuellement en mémoire l'horrible spectacle. Je me résignais. Jamais nous ne saurions l'ultime vérité. Nérisse avait trop de confusion dans l'esprit pour s'expliquer clairement et les autres avaient emporté leur secret. Pourtant, comment oublier les réflexions de l'abbé sur la liberté ? Comment oublier son horreur du suicide ? Il était tellement sûr de lui ! Et voilà que lui aussi... Et pourquoi toutes ces morts allaient-elles s'accélérant, comme si l'épidémie avait soudain pris de la force ? Pourquoi Nérisse, le plus fragile, restait-il le dernier ? Toutes les théories que j'avais échafaudées autrefois me paraissaient puériles et vaines. Des mots ! Des mots ! Seul Nérisse pouvait parler. Après tout, c'était lui qui avait vu l'abbé le dernier. Or l'abbé s'était pendu juste après leur entretien... Je comprenais les scrupules de Marek. Il ne fallait pas, sans doute, porter un nouveau coup à Nérisse en lui annonçant la mort du prêtre. Mais il n'était peut-être pas interdit de lui demander un résumé fidèle de ce qui s'était dit, avant et après la confession. Puisque le professeur ne voulait pas questionner Nérisse, je le ferais, dès que j'aurais la permission de quitter ma chambre... Et pourquoi pas avant ? Qu'est-ce qui m'empêchait de me glisser dehors ? Je pouvais marcher. La tête ne me tournait plus. J'étais solide, maintenant.

Quand une idée s'empare d'un convalescent, qui a tout loisir pour ressasser la moindre pensée, elle devient vite tyrannique. Je devais agir en dehors de Marek, évidemment. Il n'aimait pas la désobéissance chez ses malades. Donc, je devais attendre la nuit. Peut-être y aurait-il un infirmier de garde, auprès de Nérisse ? Mais peut-être pas. Et si Nérisse était sous l'influence d'un somnifère ? Les objections, les difficultés surgissaient de partout. Raison de plus. D'ailleurs, qu'est-ce que je risquais ? Un accrochage avec Marek ? Cela n'irait jamais bien loin. Pourtant, je mis le plus de chance possible de mon côté. J'attendis onze heures. Tout dormait dans la clinique quand je me glissai hors de ma chambre. Le long couloir était désert. Je courus sur la pointe des pieds jusqu'à la porte de Nérisse. Il n'y avait pas de garde près de lui. Il dormait sur le dos, la bouche ouverte. Je le voyais nettement, à la lueur de la veilleuse bleuâtre, au-dessus de son lit. Je fermai la porte et m'avançai doucement. Dommage de le réveiller ! Je m'approchai. Il avait largement repoussé le drap et les couvertures, gêné par la chaleur qui régnait dans la chambre. J'apercevais distinctement la large cicatrice qui lui entourait le cou, comme un lacet ; je tendis le bras pour lui toucher l'épaule. Sa manche était relevée assez haut, découvrant une espèce de tache bizarre, à la hauteur du biceps. Je me penchai. Mes yeux enregistrèrent l'image, bien avant mon cerveau... un cœur percé d'une flèche... et des lettres déformées par la contraction du muscle : *Lulu*...

Mon cœur se mit à battre à grosses secousses, qui me faisaient trembler. J'eus cependant le courage de soulever le drap, lentement...

Puis je courus jusqu'à la porte. J'avais envie de vomir. Je claquais presque des dents. Je revins dans ma chambre, pressant ma poitrine, à bout de résistance. Comment je réussis à m'habiller, à descendre, à sortir, je l'ignore. Je sais seulement que je me retrouvai dans un taxi.

« Vous êtes malade ? me dit le chauffeur.

— Oui... oui... Conduisez-moi, vite ! »

Je lui donnai l'adresse du préfet et m'abandonnai, anéanti.

Tout d'abord, M. Andreotti crut que j'étais malade, et je l'étais, en effet. Je ne tenais plus debout. Je tremblais. Il jeta une couverture sur mes genoux, m'administra une grande lampée d'alcool. Je ne cessais de répéter :

« Je sais tout... Je sais tout. »

Je voyais bien qu'il était furieux d'avoir été réveillé, mais mon comportement était si bizarre qu'il se contenait, curieux d'apprendre ce que j'avais découvert. Au prix d'un grand effort, je lui jetai enfin la vérité à la face.

« Myrtil n'est pas mort ! »

Mais non, je devais m'y prendre autrement, sinon il refuserait de me croire. Personne ne me croirait. On me jugerait fou. Je n'étais même pas sûr, moi-même d'être lucide. Pourtant, je sentais mes idées s'ordonner. L'espèce de grande lueur d'évidence qui m'avait foudroyé, là-bas, au chevet de Nérisse, cédait maintenant la place à des réflexions, encore fragmentaires, mais qui s'ajustaient de mieux en mieux. Je demandai un autre verre d'armagnac. Par où commencer, mon Dieu, car le temps pressait... Le préfet me regardait d'un drôle d'air, mi-crainte mi-pitié.

« Rappelez-vous, Garric, dit-il doucement... Myrtil

a été exécuté, en présence de témoins dont on ne peut mettre la parole en doute... Son corps a été découpé... Vous vous souvenez ?

— Oui, oui... Mais la question n'est pas là. »

Le préfet fronça les sourcils.

« Voyons, Garric !

— Écoutez-moi, fis-je. Je vous en supplie... Si je n'avais pas vu, de mes yeux, je douterais encore... Mais moi aussi, je suis un témoin digne de foi. »

Je me recueillis, pour me donner le temps de ressaisir les morceaux du puzzle qui m'échappaient encore.

« Vous permettez que je prenne les choses de plus loin ? poursuivis-je.

— Tout ce que vous voudrez, du moment que vous ne mettrez plus en doute la mort de Myrtil.

— D'accord ! Laissons provisoirement de côté cette question. »

Le sang me cognait aux tempes. L'alcool me brûlait le ventre. Mais ma pensée s'organisait avec une rapidité grandissante.

« Personne, dis-je, ne connaissait mieux Myrtil que Régine Mancel, vous êtes bien de cet avis, n'est-ce pas ?

— Oui.

— Elle m'a fait un portrait de Myrtil que je n'ai pas oublié. Celui d'un homme résolu, égoïste, prodigieusement habile et capable de mettre sur pied des entreprises jugées impossibles. Exemple : son dernier hold-up.

— Je sais, je sais, coupa le préfet, impatienté. Seulement, ce qu'elle ignore, c'est que Myrtil avait complètement changé, dans les derniers temps.

— C'est tout le problème. Avait-il vraiment changé ou bien visait-il à donner le change ?... Au fond, qu'est-ce qu'il a restitué ? Uniquement le produit des crimes qui lui étaient imputés. Mais les millions, les dizaines de millions qu'ont pu lui rapporter ses autres mauvais coups, ceux dont nous continuons d'ignorer qu'il en fut l'auteur, il s'est bien gardé de les rendre.

— Cela lui faisait une belle jambe, ricana le préfet.

— Peut-être !... Mais Myrtil connaissait le professeur Marek. Ne me demandez pas si j'ai des preuves. Nous en trouverons. Je dis simplement qu'il le connaissait, parce que la suite nous montre qu'ils étaient complices. »

Le préfet s'assit en face de moi et rabattit sur ses jambes les pans de sa robe de chambre.

« C'est absurde, fit-il.

— Même si c'est absurde, accordez-moi ce point, monsieur le Préfet. D'ailleurs, pourquoi Myrtil n'aurait-il pas connu Marek ? Il a pu le rencontrer, le consulter, avant son arrestation. Ou bien il a pu apprendre, par les journaux, que Marek s'intéressait à la greffe, ce qui n'était un secret pour personne. Enfin, il a eu nécessairement de nombreux entretiens avec Marek, dans sa cellule, à partir du moment où il a décidé qu'il donnait son corps à la science. Il fallait bien que le professeur l'examine, procède à toutes sortes d'analyses Or lui, Myrtil, possédait une fortune énorme et Marek, de son côté, avait besoin de beaucoup d'argent pour mener à bien ses expériences.

— Où voulez-vous en venir ?

— À ceci : Myrtil se savait perdu... Eh bien, perdu pour perdu, que risquait-il à tenter, avec Marek, une expérience suprême ? Marek se disait capable de réaliser la greffe intégrale. N'était-ce pas l'ultime chance ?

— Je ne comprends toujours pas.

— Mais si, monsieur le Préfet. La greffe intégrale n'est pas à sens unique. Elle ne consiste pas seulement à prélever un membre sur un individu pour le transférer sur un autre. Elle peut aussi récupérer ce membre pour le restituer à son premier propriétaire. »

Le préfet leva les bras au ciel, excédé.

« Mais enfin, s'écria-t-il, Myrtil était mort, archimort.

— Justement, il n'était peut-être pas aussi mort que vous le croyez. Là, nous touchons au point le plus dramatique de cette affaire. Il est vrai que Gaubrey, avec le bras de Myrtil, était encore Gaubrey, qu'Éramble, avec la jambe de Myrtil, était encore Éramble, et ainsi de suite. Mais Nérisse, avec la tête de Myrtil, était-il toujours Nérisse ? »

Le préfet demeurait nerveux. Il se pencha vers moi, les mains crispées sur son fauteuil.

« La question s'est posée, en effet, reprit-il. Mais vous avez vous-même procédé à plusieurs épreuves qui sont, d'ailleurs, consignées dans vos rapports.

— C'est exact. Nous nous demandions qui serait Nérisse quand il reprendrait conscience. Et parce que nous sommes tous intoxiqués par les résultats prodigieux de la chirurgie moderne, nous avons admis que Nérisse était encore Nérisse. Nous n'avons pas soupçonné un instant que Nérisse pouvait être un simulateur, que Nérisse pouvait être, en réalité, Myrtil, un Myrtil en possession de toutes ses facultés, de toute son intelligence, de toute sa ruse. »

Le préfet réfléchissait, cherchait des arguments contre moi. Le temps de reprendre haleine, je bus une gorgée d'armagnac et poursuivis :

« La tête, c'est évidemment une partie du corps qui peut se greffer comme une autre ; la preuve !... Seulement, un corps ne reprend pas vie avec une nouvelle tête. C'est la tête qui reprend vie avec un nouveau corps. Myrtil est revenu à lui dans le corps de Nérisse Et, avec la complicité de Marek, il a commencé à nous mentir. Il lui était si facile de nous jouer la comédie ! »

Cette fois, le préfet n'éleva aucune objection. Il commençait à voir l'affaire sous un nouveau jour et la stupeur se lisait sur son visage.

« Admettons, dit-il enfin. Bon ! Myrtil et Marek sont en cheville. Et alors ?

— Vous ne pensez pas, monsieur le Préfet, que Myrtil va accepter de vivre avec les pauvres bras, les jambes ridicules, bref, avec les moyens physiques, totalement réduits, d'un Nérisse... S'il a pris le risque de traverser la mort... car personne, pas même Marek, ne savait si l'opération réussirait... ce n'était pas pour végéter ensuite dans une chair qui n'était pas la sienne. Non ! Myrtil est un bonhomme d'envergure. Il veut récupérer ce qui lui appartient. Il y a en lui une énergie nerveuse, une force de volonté extraordinaires. J'ignore quel pacte il a signé avec Marek, mais je parierais bien qu'il ne lui a lâché ses millions qu'au compte-gouttes. Tant par membre ! Tant par organe ! »

Le préfet ne put s'empêcher de sourire.

« Excusez-moi, dit-il, c'est la réaction. Dieu sait pourtant que je n'ai pas envie de rire, mais penser que les techniques dont nous sommes si fiers peuvent se prêter à une telle mystification... C'est énorme ! Continuez, je vous prie.

— Il s'agit donc, pour Myrtil, de liquider un à un les six malheureux qui ont reçu en partage un morceau de lui-même. Il agira prudemment. Le suicide de Jumauge lui indiqua la voie à suivre.

— Vous êtes resté certain que ce fut un suicide ?

— Absolument. J'étais là. Et puis le journal de Jumauge est assez explicite. Myrtil, qui est tellement malin, voit tout le prix qu'on peut tirer des troubles de conscience provoqués par la greffe. Il maquillera donc chacun de ses crimes en suicide, avec l'aide de Marek. Je n'ai pas besoin d'entrer dans le détail. Prenez

Simone Gallart. Marek lui donne un tranquillisant et lui recommande d'avaler, au réveil, tout le contenu de la fiole. Elle s'empoisonne. Nous arrivons peu après. Il n'a qu'à laisser traîner dans la chambre une ordonnance qui le décharge de toute responsabilité...

— Évidemment, dit le préfet, le professeur avait la partie belle. Non seulement nous nous opposions à toute enquête, mais nous lui avions accordé l'autorisation de procéder aux autopsies, en cas de malheur. Il pouvait donc nous raconter ce qu'il voulait !

— Vous y êtes, monsieur le Préfet. Récupérant chaque corps, il n'avait plus qu'à regreffer sur Myrtil le membre ou l'organe prélevé autrefois... Voilà pourquoi celui que nous appelions Nérisse restait si souvent invisible. Marek nous disait qu'il souffrait de dépression, de troubles nerveux, nous interdisait sa chambre... En réalité, Myrtil se remettait d'une nouvelle opération.

— Étonnant ! Je me demande, Garric, si nous ne sommes pas en train de délirer, tous les deux !

— Monsieur le Préfet, je me permets de vous faire remarquer que c'est vous, le premier, qui m'avez convaincu, le jour où vous avez observé que nous entrons dans une période de découvertes si extraordinaires que nous devons renoncer à nos habitudes de penser antérieures. »

Le préfet alla chercher un second verre et nous versa quelques doigts d'alcool.

« J'ai froid, murmura-t-il. Je ne sais pas si c'est à cause de ce que vous me révélez, mais un petit remontant sera le bienvenu... Ainsi, d'après vous, c'est Myrtil camouflé en Nérisse, si j'ose dire, qui a exécuté tout le monde ?

— Je n'ai pas encore eu le temps de vérifier ; je vous explique en gros ce que j'ai compris brusquement et certains détails peuvent encore m'échapper...

Mais, à première vue, c'est vraisemblablement ainsi que les choses se sont passées. Voyez pour Gaubrey. Marek avait amené le faux Nérisse au vernissage... Le reste va de soi... Nérisse, disons plutôt Myrtil, est allé retrouver Gaubrey dans le bureau de Massart, l'a abattu. Comment le malheureux se serait-il méfié ?... De même pour Éramble. Nérisse a dû quitter le magasin quelques instants avant que nous arrivions, dans la voiture de Marek. Vous noterez que nous sommes toujours intervenus dan un délai très court. Marek avait besoin de corps encore chauds ! Dans l'état actuel de la technique, les opérations doivent être effectuées presque sur-le-champ.

— Je vois, je vois. Mais, pour Mousseron, ne m'avez-vous pas raconté ?...

— Si, monsieur le Préfet. Il était avec nous ; il nous a quittés pour aller se reposer. Et comme il est impossible d'admettre que Myrtil aurait commis l'imprudence de demeurer caché dans la place, nous sommes bien forcés d'admettre... »

Je me servis moi-même un nouveau verre d'armagnac.

« Je vous ai rapporté, monsieur le Préfet, que Marek nous avait laissés sur le trottoir, pour retourner chercher le revolver dans le magasin, et que nous l'avions attendu plusieurs minutes...

— Marek ! s'écria le préfet.

— Je suppose qu'il a profité des circonstances. Sans doute aussi a-t-il voulu épargner une nouvelle fatigue à Myrtil. Et puis, c'était pour lui l'occasion de pratiquer simultanément une double opération, de sauter une étape... Il a dû penser que, dans l'intérêt même de la science... »

Un long silence régna, que M. Andreotti troubla enfin.

« Et l'abbé ?

— Oh ! là, c'est Myrtil, bien entendu. Pas de problème. Il l'a étranglé pendant que je discutais avec Marek, puis l'a porté dans la chambre voisine. Tout cela, au fond, était d'une simplicité dérisoire, se déroulait pratiquement sous mes yeux, et, durant ce temps, je m'évertuais à expliquer ces suicides inexplicables... Jamais je n'aurais découvert la vérité si je n'avais pas eu l'idée de m'introduire, tout à l'heure, dans la chambre du pseudo-Nérisse. Et alors, j'ai constaté... J'ai constaté qu'on lui avait recollé le bras de l'abbé, le bras au fameux tatouage : *Lulu,* vous vous rappelez ?... De même, la cicatrice à la jambe, je l'ai reconnue tout de suite, et également... Bref, je suis certain de ce que j'avance. »

Le préfet se pinçait le menton, les yeux fixés sur le tapis.

« Avez-vous songé aux suites ? dit-il.

— Non, j'avoue que... C'était déjà assez compliqué de rassembler tous les faits.

— Myrtil a été exécuté, conformément à la loi. S'il est toujours vivant, ce que je commence à croire, il est impossible de l'arrêter et de le condamner une seconde fois... Il n'y a aucun texte qui... Non, c'est impossible ! Vous voyez le scandale ! Que nous, gouvernement, nous ayons laissé le champ libre, avec les meilleures intentions du monde, à un praticien, peut-être génial, mais sans aucun scrupule... Ah ! Garric, je vous le demande, du calme, mon ami, du calme ! Donnons-nous le temps de la réflexion.

— Mais il faut les arrêter, monsieur le Préfet.

— Sans doute !... Bien que je ne sache pas encore très bien sous quel chef d'accusation.

— Ils ont tué six personnes !

— Attention ! N'oublions tout de même pas que si Myrtil n'avait pas donné son corps, deux ou trois peut-être de ces personnes n'auraient pas survécu ;

par conséquent... Enfin, Myrtil est mort, légalement mort !

— Il a tué après sa mort. Il est donc responsable.

— J'irais dire cela au ministre : il a tué après sa mort ! Voyons, Garric, ouvrez les yeux ! Est-ce que vous pouvez me fournir la preuve irrécusable que ces suicides sont en réalité des meurtres ?

— Vous n'avez qu'à m'accompagner à la clinique, monsieur le Préfet, vous vous rendrez compte par vous-même... »

À ce moment, le téléphone sonna.

« Excusez-moi, dit le préfet. Ah ! nous sommes dans un beau pétrin ! »

Il saisit le combiné et, avant de le porter à son oreille, ajouta :

« Vous allez rentrer chez vous et vous mettre au lit. Vous ne tenez plus debout !... De mon côté, je vais aviser... Allô ?... Allô ?... Lui-même. »

D'un geste vif, il m'appela près de lui et me tendit l'écouteur. Je reconnus la voix de Marek.

« Je cherche partout M. Garric, disait le professeur. Il a quitté la clinique et il n'est pas chez lui... Or, il vient de se passer quelque chose de... de... enfin, Nérisse est mort. »

D'un froncement de sourcils, M. Andreotti m'imposa silence.

« Qu'est-ce qui lui est arrivé ? demanda-t-il.

— Une crise cardiaque. Le veilleur l'a trouvé inanimé, il y a une demi-heure.

— Vous êtes sûr que c'est une crise cardiaque ?

— Absolument. Il a été foudroyé. Je vais essayer de déterminer pourquoi, mais j'ai d'abord voulu prévenir... Le rapport d'autopsie sera prêt demain.

— C'est à moi qu'il faudra l'envoyer, dit le préfet. À partir de maintenant, je m'occupe de tout. »

Il raccrocha.

« Vous voyez, dis-je. Il l'a tué. Quand il a compris que j'avais découvert la vérité, il s'est débarrassé de lui. Si l'on n'intervient pas tout de suite, il ne restera plus aucune preuve !

— Du calme, je vous prie, Garric, du calme ! Vous avez entendu ? Je m'occupe de tout désormais. Vous n'en pouvez plus. Vous allez vous reposer et moi je vais reprendre, un à un, tous les éléments de l'affaire. Vous comprenez, le moindre faux pas, la plus petite imprudence peuvent avoir des conséquences incalculables... Au fait, cette fille Mancel, quel rôle aurait-elle joué, dans tout cela ? »

Je commençais à perdre patience. Il s'agissait bien de Régine, alors que Marek...

« Aucun rôle, dis-je. Pour Myrtil, vous pensez bien qu'elle ne comptait guère. Il s'est bien gardé de la mettre au courant... Non, monsieur le Préfet, croyez-moi, tout est clair et il faut arrêter Marek. Le plus vite possible. Et ses collaborateurs aussi !

— Naturellement, dit le préfet, d'un ton conciliant qui m'exaspéra. Rentrez chez vous... Je crois que je vous ai trop demandé, mon cher ami. Il est temps que je reprenne la barre.

— Rappelez-vous, monsieur le Préfet. Marek est dangereux. Vous venez de le constater.

— Oui, dit rêveusement M. Andreotti. Avec la mort de Myrtil, l'action judiciaire est éteinte... C'est très fort ! »

Il me reconduisit presque d'autorité jusqu'à la porte et m'assura, une dernière fois, que le nécessaire serait fait, que je pouvais avoir toute confiance et que l'on saurait reconnaître mon dévouement.

Je tombais de fatigue et de sommeil. Dans le taxi qui me ramenait chez moi, je fis cependant un dernier effort pour récapituler tout ce que je savais... non, je n'avais rien oublié... tout se tenait, jusqu'aux plus petits détails : les propos du faux Nérisse, ses malaises si bien imités, le flegme inébranlable de Marek... et puis sa brusque panique, le jour où Myrtil, après la mort d'Éramble et de Mousseron, avait été sur le point de succomber à une double greffe. Mais ce diable d'homme savait se retourner. Il avait prétendu que Nérisse avait voulu se suicider et, une fois de plus, les apparences étaient sauves. Depuis le début, elles étaient sauves ; elles nous avaient tous abusés ; elles trompaient encore le préfet. Car je sentais bien qu'il était ébranlé mais pas totalement convaincu. Mais demain, je reviendrais à la charge, je lui expliquerais tout, par le menu. Je saurais bien lui forcer la main...

Garric jeta sa cigarette, compta les feuillets. Encore deux ou trois pages, pour protester contre la décision inique à cause de laquelle, sans avoir compris ce qui lui arrivait, il s'était retrouvé à six mille kilomètres de Paris, dans un exil qui durerait encore combien d'années ? Il regarda la grande enveloppe, sur laquelle de sa main, il avait écrit :

MONSIEUR LE PRÉSIDENT DE LA RÉPUBLIQUE
PALAIS DE L'ÉLYSÉE
PARIS-VIII

Sa dernière chance ! Si l'on refusait de l'entendre, il n'avait plus qu'à se faire sauter la cervelle. Jamais il ne s'habituerait à ce décor d'opérette, à cette vie molle, moite, noyée d'ennui... Il se leva et s'approcha de la fenêtre : les palmiers... la mer... La détention, la relégation, comme autrefois le cachot pour ceux qui avaient surpris quelque immense secret d'État. Il payait pour les autres !

« Accepte, répétait Régine. Fais semblant de te résigner. Joue le jeu et ils te rappelleront bientôt à Paris. »

Non ! Il préférait crever ici et inonder de lettres de protestation le ministère. Le planton frappa. C'était un ancien adjudant de la coloniale, manchot et médaillé militaire. Il sentait le rhum. Tout puait le rhum, dans cette ville. Le planton jeta, pêle-mêle, sur le bureau, les journaux : Le Phare de la Guadeloupe, L'Indépendant de Pointe-à-Pitre, *et aussi* Le Figaro, Le Monde, France-Soir, *que le Boeing venait d'apporter. Garric déplia* Le Figaro *et, tout de suite, le titre lui sauta au visage :*

LE PRIX NOBEL DE BIOLOGIE EST DÉCERNÉ
AU PROFESSEUR ANTON MAREK

L'article dansait devant ses yeux. Il dut s'asseoir. Depuis quelque temps, la moindre émotion lui coupait les jambes et déchaînait son cœur. Il jeta un coup d'œil sur les autres journaux :

« ... Le prestige de la France... L'avance décisive de la science française... »

Puis il regarda les pages de son rapport. Hier encore, ces pages, c'était de l'Histoire. Maintenant, personne, en haut lieu, ne les lirait plus. C'était du roman. De la science-fiction !

Garric déchira l'enveloppe, lentement. Eh bien, soit, du roman. Un livre peut aussi demander justice. Et à Paris, les éditeurs ne manqueraient pas qui...

Il saisit le Bottin des professions.

DES MÊMES AUTEURS

Aux Éditions Gallimard

Dans la collection Folio Policier

LE BONSAÏ, n° 82.

CARTE VERMEIL, n° 102.

CELLE QUI N'ÉTAIT PLUS, n° 103.

... ET MON TOUT EST UN HOMME, n° 188.

J'AI ÉTÉ UN FANTÔME, n° 104.

LES LOUVES, n° 207.

LA MAIN PASSE, n° 142.

MALÉFICES, n° 41.

MAMNIGANCES, n° 216.

SUEURS FROIDES, n° 70.

TERMINUS, n° 93.

Composition et impression Bussière
à Saint-Amand (Cher), le 29 août 2005.
Dépôt légal : août 2005.
1er dépôt légal dans la collection : novembre 2000.
Numéro d'imprimeur : 053239/1.
ISBN 2-07-041399-3./Imprimé en France.

139936